図解 相続税法 超入門 ［令和6年度 改正］

税理士法人 山田＆パートナーズ 監修

佐伯 草一 編著

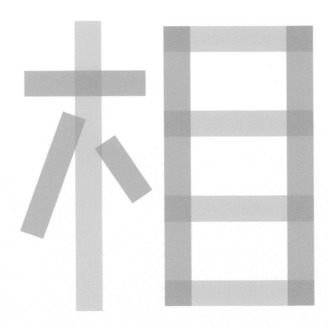

税務経理協会

は し が き

　とっつき易く，飽きずに，しかも短時間で相続税の考え方，全体像がわかるような本が欲しい——このようなニーズはきっと少なくないと思います。

　筆者自身，はじめて実務についた頃，勉強したことのなかった税法については（筆者の場合は所得税法でしたが），一刻も早くキャッチアップしたいという思いが強くありました。分厚い専門書ではなく，とりあえず短時間で読破できる，わかりやすい解説書がないものかと書店をあちこち探した記憶があります。そのとき最初に手にした本は，図表が多く，文字が少なく，それでいて税法の基本的な仕組みや全体像を理解するには十分な，当時の筆者にとってはありがたい良書でした。ずいぶん昔の話で，今はもう書店にありませんが，この本には今も感謝しています。

　税務経理協会の堀井裕一様から，所得税，法人税，相続税，消費税のいわゆる国税四法についてわかりやすい入門書を，という相談をいただいたとき，まっさきにこの経験が頭に浮かびました。あのような本があれば役に立つ方もいらっしゃるに違いない，本書の発刊を決めた理由の一つです。

　相続税の仕組みを理解するには，まず，相続に関する民法の規定を理解する必要があります。なぜなら相続税の計算は，民法に定める相続人（法定相続人）が民法に定める相続分（法定相続分）に従って財産を取得したものと仮定し，ここからスタートする，いわゆる「法定相続分課税方式」が採用されているからです。故に，本文は「第1章　民法における相続の基礎」で始まっています。

　平成27年以後に発生した相続から，相続税の基礎控除は，それ以前の「5,000万円＋1,000万円×法定相続人の数」から「3,000万円＋600万円×法定

相続人の数」に下がり，最高税率は50％から55％に上がりました。平成26年以前の相続税の課税割合（＝年間課税件数／年間死亡者数）は，全国平均で4～5％でしたが，平成27年以後の相続についてはこれが8％台に上昇し，令和4年分の相続では9.6％になりました。都市部ではさらに課税割合が高く，例えば，東京国税局管内では令和3年分の相続で14.7％，令和4年分の相続では15.0％となっており，平成26年の課税割合7.5％と比べ，ほぼ2倍に増加しています（令和5年分の相続税の課税割合は今年12月に国税庁より公表される見込みです）。近年，相続税が身近な税になったと言われる所以です。

　本書は，相続税をはじめて勉強しようとする方を対象にしていますので，専門用語の利用はなるべく控え，わかりやすい言葉で，できる限り平易に解説することに務めました。また，図表やフローチャートなどをふんだんに利用し，イメージとして理解できるよう工夫しています。

　本書が一人でも多くの方の手にとられ，お役に立つことを願うばかりです。

　本書は平成17年6月に初版を発行して以来，毎年改訂の機会に恵まれ，今回も令和6年度改正版として改訂出版できることになりました。読者諸兄並びに税務経理協会の皆様に深く感謝し，厚く御礼申し上げます。

　令和6年7月

編著者　佐伯　草一

目　　次

はしがき

第2章 相続税の基本事項

第3章 相続税の計算の仕組み

第4章　財　産　評　価

第5章　相続税の申告と納税

第6章　贈与税の計算と仕組み

第7章　贈与税の申告と納税

第8章　相続時精算課税制度

第9章　非上場株式等についての相続税・贈与税の　　納税猶予および免除制度（事業承継税制）

第10章　相続税の計算ケーススタディ

『第1章』
民法における相続の基礎

　相続税を理解するには，民法における相続の知識が不可欠です。なぜなら，相続税の計算は，民法に定める相続人（法定相続人）が民法に定める相続分（法定相続分）に従って財産を取得したものと仮定する，ここからスタートするからです。

　それではまず，民法における相続の知識から説明します。

第1節　相続とは

1．相続とは

　相続とは，人が亡くなり，亡くなった人（被相続人という）が所有していた財産を相続人が引き継ぐことをいいます。

2．相続財産

　相続財産には，被相続人が所有していた金融資産，不動産，動産等のプラスの財産はもちろんのこと，借金等のマイナスの財産や被相続人が債務保証を行っていた場合における法律上の地位などが含まれます。

　ところで，被相続人が契約者（保険料負担者）・被保険者となって加入していた生命保険契約により相続人等が受け取った死亡保険金は，生命保険会社から直接死亡保険金受取人に支払われるため，被相続人の民法上の相続財産とはなりません。しかし，死亡保険金は被相続人が保険料を負担した結果支払われるものであり，経済的には相続財産と考えるべきであることから，相続税上は

「みなし相続財産」として相続税の対象となります。

　「民法上の相続財産」と，民法上の相続財産ではありませんが相続税上「みなし相続財産」とされるものには，次のようなものがあります。

民法上の相続財産とみなし相続財産

民法上の 相続財産	① 不 動 産 　　（土地・借地権・建物等） ② 金 融 資 産 　　（預金，貯金，債券，投資信託，株式，ゴルフ会員権等） ③ 動 産 　　（宝石，家庭用動産等） ④ 借 入 金 　　 等
民法上の 相続財産 とならな いもの	① 被相続人の死亡により受け取った死亡保険金 ② 被相続人の死亡により受け取った死亡退職金 ③ 契約者・被保険者が被相続人以外で，被相続人が保険料を支払っていた生命保険契約　　　　等

3．相続できる人

　被相続人の財産を相続できるのは民法で定められた相続人です。被相続人が遺言書で指定している場合等を除き，原則として相続人以外の人が相続財産を取得することはできません。

第2節　相続人と法定相続分

1．相続人の種類と順位

相続人には，血族相続人と配偶者相続人がいます。

(1)　血族相続人

血族相続人には相続できる順位があります。

① 　第1順位は子およびその代襲相続人（代襲相続人については7ページ参照）
です。子は実子，養子の区別なく，相続人になります。

② 　第1順位である子および代襲相続人がいない場合には，第2順位である
直系尊属が相続人になります。

　　直系尊属とは，父母，祖父母，曾祖父母等をいいます。被相続人に父ま
たは母がいる場合には父母が，父母がおらず祖父母がいる場合には祖父母
が，父母も祖父母もいない場合には曾祖父母が相続人となります。

③ 　第1順位である子，第2順位である直系尊属がいない場合には，被相続
人の兄弟姉妹およびその代襲相続人（一代限り）が相続人になります。

(2)　配偶者相続人

配偶者は常に相続人になります。ただし，法律上の婚姻関係がある者に限ら
れ，内縁関係は含まれません。相続時に配偶者がいない場合には，相続人は血
族相続人のみとなります。

血族相続人と配偶者相続人

順　位	血族相続人	配偶者相続人
第1順位	子（子が先に亡くなっている場合には，孫等）	配偶者は常に相続人となる
第2順位	直系尊属（父母等）	
第3順位	兄弟姉妹（兄弟姉妹が亡くなっている場合には，甥姪）	

2．法定相続分（基本的割合）

　法定相続分とは，民法で定められている相続財産の分け方の一応の基準となる相続割合をいいます。この割合は，血族相続人（第1順位，第2順位，第3順位）と配偶者相続人の組み合わせにより異なります。法定相続分は遺産分割の際の目安となりますが，相続人全員の同意があれば，法定相続分と異なる割合により遺産分割することができます。

法定相続分

順　位	相続人と法定相続分	備　　考
第1順位	① 配偶者 $\frac{1}{2}$ ② 子 $\frac{1}{2}$	配偶者がいなければ子がすべて相続
第2順位	① 配偶者 $\frac{2}{3}$ ② 直系尊属 $\frac{1}{3}$	配偶者がいなければ直系尊属がすべて相続
第3順位	① 配偶者 $\frac{3}{4}$ ② 兄弟姉妹 $\frac{1}{4}$	配偶者がいなければ兄弟姉妹がすべて相続

　具体的なケースにより，法定相続分について説明します。

(1)　第 1 順 位

　配偶者と第1順位の子が相続人となる場合には，配偶者の法定相続分が2分の1，子の法定相続分は残り2分の1を子の人数で頭割りします。

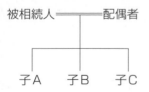

法定相続人	法定相続分
配偶者	$\frac{1}{2}$
子A	$\frac{1}{2}\times\frac{1}{3}=\frac{1}{6}$
子B	$\frac{1}{2}\times\frac{1}{3}=\frac{1}{6}$
子C	$\frac{1}{2}\times\frac{1}{3}=\frac{1}{6}$

(2)　第 2 順 位

　配偶者と第2順位の直系尊属が相続人となる場合には，配偶者の法定相続分が3分の2，直系尊属の法定相続分は3分の1となります。父母2人がいる場合，父母それぞれの法定相続分は3分の1を頭割りした6分の1ずつとなります。

法定相続人	法定相続分
配偶者	$\frac{2}{3}$
父	$\frac{1}{3}\times\frac{1}{2}=\frac{1}{6}$
母	$\frac{1}{3}\times\frac{1}{2}=\frac{1}{6}$

(3)　第 3 順位

　配偶者と第3順位の兄弟姉妹が相続人となる場合には，配偶者の法定相続分が4分の3，兄弟姉妹の法定相続分は4分の1となります。兄弟姉妹が数人いる場合には，4分の1を兄弟姉妹の人数で頭割りします。

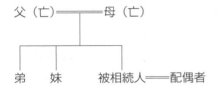

法定相続人	法定相続分
配偶者	$\frac{3}{4}$
弟	$\frac{1}{4}\times\frac{1}{2}=\frac{1}{8}$
妹	$\frac{1}{4}\times\frac{1}{2}=\frac{1}{8}$

3．いろいろなケース

　相続分の計算には前述したものだけでなく，いろいろなケースがあります。具体的な例をあげて，相続人と法定相続分について説明します。

(1)　再婚しているケース

　被相続人に，前妻との間に子が2人，現在の妻との間に子が2人いる場合には，子4人はすべて被相続人の相続人となります。また，現在の妻は配偶者相続人として相続人となります。法定相続分は第1順位の子と配偶者の組み合わせですから，配偶者が2分の1，子は残り2分の1を4人で頭割りします。

法定相続人	法定相続分
妻	$\frac{1}{2}$
子A	$\frac{1}{2}\times\frac{1}{4}=\frac{1}{8}$
子B	$\frac{1}{2}\times\frac{1}{4}=\frac{1}{8}$
子C	$\frac{1}{2}\times\frac{1}{4}=\frac{1}{8}$
子D	$\frac{1}{2}\times\frac{1}{4}=\frac{1}{8}$

(2) 養子縁組をしているケース

養子は法律上実子とみなされますので，実子と同じ相続分を有します。例えば，被相続人に，実子Eと養子F，Gの3人の子がいる場合には，E，F，Gそれぞれの法定相続分は3分の1ずつとなります。

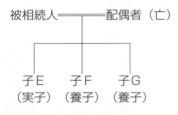

法定相続人	法定相続分
子E（実子）	$\frac{1}{3}$
子F（養子）	$\frac{1}{3}$
子G（養子）	$\frac{1}{3}$

＜民法と相続税計算上の取扱いの違い＞

基本的には，民法で定められている相続人が相続税上の相続人となりますが，相続税の計算上（「遺産に係る基礎控除額」「相続税の総額」「死亡保険金・死亡退職金の非課税限度額」の計算に関係する。第3章参照），法定相続人の人数に含めることができる養子の数は次のとおり制限されています。

① 被相続人に実子がある場合　　　1人

② 被相続人に実子がいない場合　　2人

したがって，上記(2)のケースにおいて，相続税計算上の法定相続人の数は2人（実子1人＋養子1人）になりますし，相続税の総額を計算する場合の法定相続分は次のとおりになります。

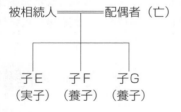

法定相続人	相続税上の法定相続分
子E（実子）	$\frac{1}{2}$
子F（養子） 子G（養子）	$\frac{1}{2}$

なお，次の者は養子であっても実子とみなされ，相続税上，養子の数の制限を受けません。

・民法上の特別養子

一般的に，養子は実親と養親の両者の相続財産を相続する権利がありま

す。しかし，特別養子[注]は実親の相続財産を相続する権利を持たず，養親の相続財産に対してだけ相続権を有します。そのため，特別養子は実子として取り扱われています。

(注) 特別養子とは，原則として15歳未満の者の福祉のために特に必要があるときに，その者と実父母との法律上の親族関係を消滅させ，実親子関係に準ずる安定した養親子関係を成立させる縁組制度により養子となった者をいいます。

・配偶者の実子（連れ子）で被相続人の養子となった者

例えば，次の子Hや I のようなケースです。

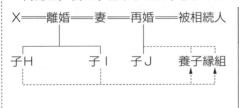

法定相続人	民法および相続税上の法定相続分
妻	$\dfrac{1}{2}$
子H（養子）	$\dfrac{1}{2}\times\dfrac{1}{3}=\dfrac{1}{6}$
子 I （養子）	$\dfrac{1}{2}\times\dfrac{1}{3}=\dfrac{1}{6}$
子J	$\dfrac{1}{2}\times\dfrac{1}{3}=\dfrac{1}{6}$

(3) 代 襲 相 続

① 相続人が子，孫等のケース

父（被相続人）の相続が発生したときに，子が父より先に亡くなっていた場合等には，その子の子（被相続人である父にとっては孫）が亡くなった子の相続権を引き継ぎます。これを代襲相続といい，相続権を引き継いだ孫を代襲相続人といいます。代襲相続人は亡くなった子の法定相続分を引き継ぎますが，代襲相続人が複数人いる場合には，引き継いだ法定相続分を代襲相続人の人数で均等按分します。

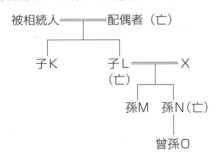

法定相続人	法定相続分
子K	$\dfrac{1}{2}$
孫M	$\dfrac{1}{2}\times\dfrac{1}{2}=\dfrac{1}{4}$
曾孫O	$\dfrac{1}{2}\times\dfrac{1}{2}=\dfrac{1}{4}$

なお，代襲相続人である孫や曾孫を被相続人の養子としている場合は，その養子は，相続税計算上，実子として取り扱われます。

<注意点>
① 上記のケースにおいては，代襲相続人である孫Nが被相続人より先に亡くなっていますので，孫Nの子（曾孫O）が代襲相続人となります。子が相続人の場合には何代でも代襲相続することができます。
② 被相続人の子が相続放棄をした場合，相続放棄をした子の子（被相続人の孫）が代襲相続することはできません。相続放棄をした子は被相続人の相続について，最初から相続人ではなかったとみなされるためです。

② 相続人が兄弟姉妹のケース

第3順位である兄弟姉妹が相続人となる場合に，被相続人の相続が発生したときに兄弟であるPがすでに亡くなっていたときには，Pの子が代襲相続人となります。ただし，この場合における代襲相続は一代しか認められていないため，Pの子Sがすでに亡くなっていたとしてもPの孫Tは代襲相続人にはなれません。

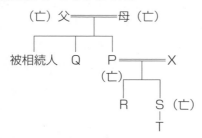

法定相続人	法定相続分
Q	$\frac{1}{2}$
R	$\frac{1}{2}$

(4) 第3順位の兄弟姉妹が相続人となる場合で半血兄弟姉妹がいるケース

兄弟姉妹といっても，父母両方が同じ兄弟姉妹（全血兄弟姉妹）だけでなく，いずれか一方だけが同じである，いわゆる半血兄弟姉妹がいます。第3順位の兄弟姉妹が相続人となる場合には，全血兄弟姉妹も半血兄弟姉妹も相続人になりますが，法定相続分については半血兄弟姉妹は全血兄弟姉妹の半分になりま

す。

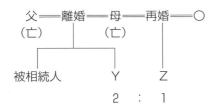

法定相続人	法定相続分
Y	$\frac{2}{3}$
Z	$\frac{1}{3}$

4．特別受益・寄与分

　民法では，遺産が相続人に公平に分割されるように，被相続人が相続時に所有していた財産を法定相続分に従って分割するという原則に，2つの修正を加えるように配慮されています。それが，特別受益と寄与分です。

(1)　特別受益

　例えば，被相続人が生前に相続人のうち1人にだけ多額の贈与をしていた場合，被相続人が遺した財産を相続人が法定相続分どおり取得したとしても，生前に多額の贈与を受けた相続人と何も贈与を受けていないその他の相続人とでは被相続人から取得した財産額に大きな違いがでてきます。

　そこで，被相続人から生前に受けた一定の贈与（「特別受益」という）を相続分の前渡しと考えて，相続財産の分割の際はこの特別受益も含めて各相続人の相続分を考える，というのがこの特別受益の趣旨です。

　具体的なケースでみていきましょう。

　父には子A，B，Cの3人がいます（母はすでに死亡）。

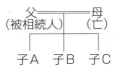

法定相続人	法定相続分
子A，B，C	各$\frac{1}{3}$ずつ

　父が遺した財産は1億2,000万円でしたが，父は生前に子Aに3,000万円の現金贈与をしていました（子BとCにはまったく贈与をしていない）。

　この場合，父が生前に子Aに贈与した3,000万円が特別受益となり，相続財産1億2,000万円と生前贈与額（特別受益額）3,000万円を合算した1億5,000万円

を，法定相続分の３分の１ずつに按分します。

つまり，各相続人の法定相続分相当額は5,000万円となります。しかし，すでに子Ａは生前に3,000万円の贈与を受けていますので，その分を法定相続分相当額の5,000万円から差し引きます。結果，子Ａの相続時の取得額は2,000万円となります。こうすれば，生前贈与額と相続時の財産取得額合計では，子Ａ，Ｂ，Ｃの３人は5,000万円ずつ取得することになりますので，各相続人が公平に財産を取得できることになります。

なお，特別受益の額は原則として，相続開始時点の価値を基準に評価します。

⑵ 寄与分・特別寄与料

寄与分の制度は，相続人のうち，「被相続人の財産の維持または増加に特別に寄与した者」がいる場合，その分だけ寄与者の相続分を増加させる，というものです。

具体的に寄与分の計算は次のように行います。

父には，Ｄ，Ｅ，Ｆの３人の子がいました。

法定相続人	法定相続分
子Ｄ, Ｅ, Ｆ	各$\frac{1}{3}$ずつ

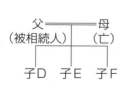

　父の遺した財産は1億円でしたが，このうち，1,000万円は子Dの寄与によるものです。

　この場合，まず，Dの寄与分1,000万円を1億円から差し引き，残りの9,000万円を法定相続分の3分の1ずつにします。つまり，このケースでは3,000万円となります。これが子E，Fの相続分となります。そして，寄与者である子Dの取得額は3,000万円に寄与分の1,000万円を加えた4,000万円となります。

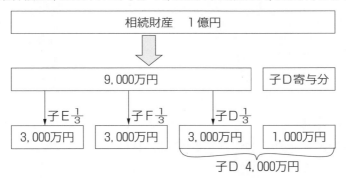

　なお，この寄与分は相続人にしか認められていませんので，例えば，長男の妻や内縁の妻等は寄与分を主張することはできません。ただし，相続人以外の親族が，被相続人に対して無償で療養看護等を行い，被相続人の財産の維持，増加に特別の寄与をした場合には，当該親族は相続人に対し，「特別寄与料」の支払いを請求することができます。

第3節　相続人の選択

　前述したように，相続人は民法で定められています。しかし，被相続人の遺した財産がマイナスとなるケース，つまり，借金等の債務が財産額を上回り，相続人が引き継ぎたくない場合もあります。このような場合には，相続人は「相続放棄」または「限定承認」することを選択することができます。

　ただし，相続の開始があったことを知ったときから3か月以内に，相続放棄，限定承認の手続き（どちらも家庭裁判所に申述する）を行わない場合には，原

則として単純承認したとみなされます。

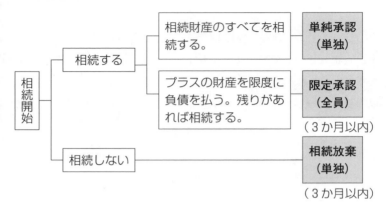

1．単 純 承 認

　単純承認とは，無制限・無条件に被相続人の権利・義務を相続人が相続することです。したがって，単純承認をした場合には，どんなにマイナスの財産の方が大きくても，無条件にこれを引き継がなくてはなりません。

2．相 続 放 棄

　相続放棄とは，相続財産についてはプラスの財産もマイナスの財産も一切引き継がないとする意思表示で，相続放棄をした場合には，当初から相続人ではなかったものとみなされます。相続人各人が単独で選択することができます。

　次に相続放棄をしない場合と相続放棄をした場合の相続人の違いを比べてみます。

ケース(1)

（相続放棄をしない場合）

法定相続人	法定相続分
配偶者	$\frac{1}{2}$
子A	$\frac{1}{4}$
子B	$\frac{1}{4}$

（子Aが相続放棄をした場合の相続人）

法定相続人	法定相続分
配偶者	$\frac{1}{2}$
子B	$\frac{1}{2}$

ケース(2)

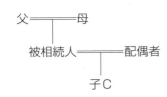

（相続放棄をしない場合）

法定相続人	法定相続分
配偶者	$\frac{1}{2}$
子C	$\frac{1}{2}$

（子Cが相続放棄をした場合の相続人）

法定相続人	法定相続分
配偶者	$\frac{2}{3}$
父	$\frac{1}{6}$
母	$\frac{1}{6}$

　ケース(1)で子Aが相続放棄をした場合，子Aは当初から相続人ではなかったとみなされるため，相続人は配偶者と子Bの2人となります。

　これに対して，ケース(2)で子Cが相続放棄をした場合，第1順位である子の血族相続人がいないことになるため，第2順位である父母が相続人となります。この場合，子の子（つまり，孫）がいた場合でも，孫が相続人となることは

ありません。

＜民法と相続税法との違い＞

　上記は民法上の取扱いです。相続税法では，相続放棄があった場合でも
その放棄がなかったものとしたときの相続人および法定相続分に従って計
算を行うルールになっています。つまり，上記ケース(2)で子Cが相続放棄
をしたとしても，相続税の計算上の相続人は2人（配偶者と子C）となり，
法定相続分は2分の1ずつとなります。

(参考)　相続放棄をした子が死亡保険金受取人になっていた場合

　　被相続人が契約者（保険料負担者）・被保険者となって加入していた生命保険
の死亡保険金については，受取人になっていた相続人が相続放棄をしたとして
も，民法上の相続財産ではありませんので，この死亡保険金を受け取ることがで
きます。

3. 限 定 承 認

　限定承認とは，被相続人から相続する相続財産の限度で相続債務を支払い，
残った財産があればこれを相続するという意思表示です。この限定承認は，財
産はある程度あるものの，債務がどれくらいあるかわからないというような場
合に利用されます。なお，この限定承認は相続人単独で行うことはできず，相
続人全員が合意した場合に限り選択することができます。限定承認をイメージ
で示すと，次のようになります。

(1)　被相続人の債務が財産を上回る場合

被相続人の財産	被相続人の債務	被相続人の財産を限度として被相続人の債務を弁済する。
		相続人は引き継がない。

(2) 被相続人の財産が債務を上回る場合

第4節　相続人の除外

　相続人のうち相続させるのが不適当であったり，被相続人の意思に反するという場合を考慮して，民法では相続欠格，廃除という2つの制度を設けて，相続人から除外することにしています。

1. 相 続 欠 格

　相続欠格とは，相続人に一定の非行があった場合に，何らの手続きをふむことなく，当然に相続権を失わせ，相続人から除外することをいいます。

　一定の非行とは，次のような者をいいます。

① 故意に，被相続人または相続について先順位または同順位にある者を死亡させ，または死亡させようとしたために，刑に処せられた者

② 被相続人の遺言の妨害（偽造・変造・破棄・隠匿等）行為をした者

2. 廃　　　　除

　廃除とは，被相続人が特定の相続人について相続させるのはどうしても許せないと思う場合に，家庭裁判所に請求してその相続人の相続権を失わせる制度です。これは遺言によって行うこともできます。

　ただし，次のような理由がある場合に限られます。

① 被相続人に対する虐待・侮辱

② 相続人の著しい非行

　なお，相続欠格または廃除された相続人がいる場合，その相続欠格または廃除された者の子が代襲相続人となります。つまり，下記のケースのように，子Eが被相続人から廃除された場合には，相続人は配偶者，子D，孫Fの3人となります。

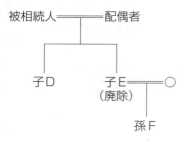

第5節　遺　産　分　割

　遺産分割とは，被相続人が持っていた財産を各相続人に分ける手続きをいいます。

1．遺産分割のやり方
　遺産分割のやり方として，指定分割，協議分割，審判分割の3種類があります。

⑴　指　定　分　割
　指定分割とは，被相続人が遺言でその分割内容等を指定し，その指定に従って遺産を分割することをいいます。

⑵　協　議　分　割
　協議分割とは，相続人全員で遺産分割協議を行い，相続人全員の合意により遺産分割することです。この場合，相続人のうち1人でも遺産分割協議に参加しない者がいるときは遺産分割協議は成立しません。
　また，相続人全員が合意すれば法定相続分にとらわれず，自由に遺産分割することができます。この場合，財産をまったく取得しない相続人がいても問題

ありません。ただし，財産を相続しない相続人（相続放棄をしている場合を除く）
も，遺産分割協議書に署名押印する必要があります。

　なお，相続人の中に未成年者がいる場合には，親権者等の法定代理人が未成
年者に代わって遺産分割協議に参加します。しかし，未成年者とその法定代理
人がともに相続人である場合（被相続人の妻と未成年者の子が相続人である場合な
ど）には，その法定代理人は未成年者の代理をすることができないため，遺産
分割協議のためだけの特別代理人を家庭裁判所に選任してもらわなければなり
ません。

(3)　審 判 分 割

　(2)の遺産分割協議が整わないとき，または協議することができないときに家
庭裁判所の審判により分割をします。

2．遺産分割の方法

(1)　現 物 分 割

　現物分割とは，遺産そのものを分割する方法です。
　次のように行います。

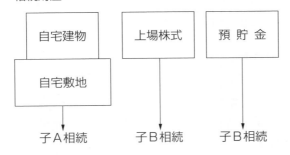

(2) 代償分割

代償分割とは，特定の相続人が現物の相続財産を取得し，その代わりに他の相続人に対して自分の財産を渡す（代償債務を負担する）方法です。

次のように行います。

相続人——子C，D

相続財産

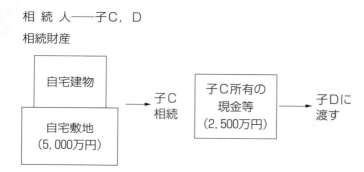

例えば，子Cが5,000万円の自宅を相続し，代わりに自分の現金2,500万円を子Dに渡すことにより，実質，子Cと子Dは2,500万円ずつ財産を取得するという分割方法です。

	子C	子D
相続財産	5,000万円	0
代償交付金	△2,500万円	2,500万円
計	2,500万円	2,500万円

この場合，遺産分割協議書に，子Cが相続財産である自宅を取得する代わりに子Cから子Dに現金等（代償交付金という）を渡す旨を記載すれば，子Cから子Dに渡す代償交付金は遺産分割の一環であるとみなされ，贈与税の対象にはなりません。この場合，子Cおよび子Dはそれぞれ2,500万円を相続により取得したものとみなされます。

また，子Cが子Dに渡す財産が土地等の譲渡所得の対象となる財産である場合には，子Cは時価で子Dに土地等を譲渡したものとみなされますので，子Cが時価よりも低い価額でその土地等を取得しているときにはその利益(時価−取

得費）に対して，所得税および住民税が課されることになります。

(3)　換価分割

遺産を処分したうえで，各相続人がその代金を分ける方法です。

次のように行います。

相 続 人──子E，F，G

相続財産

第6節　遺　　言

原則として被相続人の財産を相続できるのは民法で定められている相続人だけです。相続人以外の人に財産を渡したい場合には，遺言書を作成しておく必要があります。

1．遺言でできること

遺言は，15歳以上であり，かつ意思能力（事物に対する一応の判断能力）があれば，誰でも作成できます。

遺言書は，一定の方式を守っていれば内容についてはどのようなことを書いてもかまいませんが，法的に意味を持つのは，民法その他の法律で次のように限定されています。

(1)　身分に関する事項

①　認知

②　未成年後見人・未成年後見監督人の指定

(2)　相続に関する事項

①　相続人の廃除とその取消し

② 相続分の指定と指定の委託

③ 遺産分割方法の指定・指定の委託

④ 遺産分割の禁止（ただし，相続開始の時から５年を超えない期間内に限る）

⑤ 相続人相互の担保責任の指定

⑥ 遺言執行者の指定・指定の委託

⑦ 遺留分侵害額負担割合の指定

⑧ 特別受益の持戻しの免除

⑨ 祭祀主宰者の指定

(3)　財産の処分に関する事項

① 遺贈・寄附行為（財団法人の設立）

② 信託法上の信託の設定

③ 生命保険金の受取人の変更

２．遺言書の種類とそれぞれの特徴

　民法では遺言の作成については極めて厳格な方式を要求し，その方式に従わない遺言には，効力を認めません。

　民法で定める遺言の方式には次の３種類があります（特殊な状況下にある場合にだけ認められる特別方式遺言を除く）。

① 公正証書遺言

② 自筆証書遺言

③ 秘密証書遺言

　それぞれの遺言書の作成方法および特徴をまとめると，次頁の表のとおりになります。

遺言の種類と特徴

種　類	公正証書遺言	自筆証書遺言	秘密証書遺言
作成方法	本人と証人2人が公証人役場に行き，本人が遺言内容を口述し，それを公証人が記述する。	自分で遺言の全文，氏名・日付を自書し押印する。 ただし，相続財産の全部または一部の目録を添付する場合には，その目録は自書である必要はない。	本人が証書に署名・押印した後，封筒に入れ封印をして公証人役場で証明してもらう。
証　人	証人2人以上	不　要	証人2人以上
家庭裁判所の検認（注）	不　要	必　要 ただし，遺言書保管所（法務局）に預けられた遺言書は，検認不要。	必　要
長　所	・保管の心配がいらない。 ・遺言の存在と内容が明確にできる。 ・検認手続きが不要。	・作成が容易。 ・遺言内容を秘密にできる。	・遺言の存在を明確にできる。 ・遺言内容を秘密にできる。
短　所	・遺言内容が漏れる可能性あり。 ・遺産が多い場合は費用がかかる。	・原則検認手続きが必要。 ・紛失のおそれがある。 ・要件の不備による紛争が起こりやすい。	・検認手続きが必要。 ・要件の不備による紛争が起こりやすい。

（注）遺言書の検認

　　遺言書（公正証書遺言および遺言書保管所（法務局）に預けられた自筆証書遺言を除く）の保管者または発見者は，遺言者の死亡を知った後，遅滞なく遺言書を家庭裁判所に提出して，検認を受けなければなりません。検認とは，相続人に対して遺言の存在およびその内容を知らせるとともに，遺言書の形状，日付，署名など検認の日現在における遺言書の内容を明確にして遺言書の偽造・変造を防止するための手続きであり，遺言の有効・無効を判断する手続きではありません。

なお，遺言者はいつでも，作成した遺言書の全部または一部を取り消すことができます。したがって，前の遺言を撤回する遺言をした場合には，前の遺言の効力がなくなり後の遺言が効力を有することになりますし，遺言者が故意に遺言書を破棄した場合には，その遺言を撤回したものとみなされます。

3．遺言による贈与（遺贈）とその種類

遺言によって財産を贈与することを遺贈といいます。遺贈には，包括遺贈と特定遺贈の2種類があり，それぞれの特徴をまとめると，次の表のとおりになります。

遺贈の種類と特徴

	包括遺贈	特定遺贈
内　　容	遺産の全部または割合が指定されている遺贈	特定の財産が指定されている遺贈
遺贈の放棄	相続の開始があったことを知った時から3か月以内に行う。	遺言者の死後いつでも自由に行うことができる。
特　　徴	相続人と同様の地位を持ち，遺産分割協議にも参加する。	―

4．遺言書以外の方法

相続人以外の人に財産を渡す方法として，遺言書を作成する他に，死因贈与契約を結ぶ方法があります。この死因贈与契約とは，「私が死んだら，○○の財産を△△さんに贈与する」というように，死亡によってその効力が発生する贈与契約をいいます。これはあくまで契約ですから遺言書のように遺言者が一方的に作成するものではなく，贈与者と受贈者の両者の合意により契約を締結します。

遺贈，死因贈与のいずれの場合も，相続税法においては贈与税の対象とはさ

れず，相続税の対象となります。

5．遺　留　分

　遺言者は遺言書に特定の人に財産を渡したい旨を自由に記載することができます。そうしますと，例えば，遺言書に「相続人以外の第三者にすべての財産を渡す」と記載されていた場合には，相続人は相続財産を一切取得できなくなってしまいます。

　そこで，一定の相続人については，主張すれば必ず相続財産を取得できる財産の範囲が認められており，これを遺留分といいます。

　この遺留分は，遺留分を侵害するような生前贈与や遺贈が行われた場合に，相続人各人が，相続開始後に，自らの遺留分を確保するための権利（遺留分侵害額請求権という）を主張（行使）することによって認められるものです。

(1)　遺留分権利者

　遺留分は，被相続人が作成した遺言書等を覆す非常に強い権利です。したがって，相続人のうち子およびその代襲相続人，直系尊属，配偶者には遺留分が認められていますが，被相続人との関係が薄い兄弟姉妹およびその代襲相続人には遺留分は認められていません。

遺留分の有無	遺留分あり	遺留分なし
相　　続　　人	配偶者，子等，直系尊属	兄弟姉妹等

(2)　遺留分の割合

　遺留分の割合は原則としてその相続における各相続人の法定相続分の2分の1です。ただし，直系尊属だけが相続人の場合は，法定相続分の3分の1になるなどの例外があります。相続人の組み合わせによる遺留分の割合は次頁のとおりです。

遺留分の割合

相続人の組み合わせ	遺留分合計（相対的遺留分）	各人の遺留分	
		配偶者相続人	血族相続人
配偶者と子	$\frac{1}{2}$	$\frac{1}{4}$	$\frac{1}{4}$（子が複数人いる場合にはこれを頭割り）
配偶者と直系尊属	$\frac{1}{2}$	$\frac{1}{3}$	$\frac{1}{6}$（父母2人いる場合にはこれを頭割り）
配偶者と兄弟姉妹	$\frac{1}{2}$	$\frac{1}{2}$	なし
子のみ	$\frac{1}{2}$	—	$\frac{1}{2}$（子が複数人いる場合にはこれを頭割り）
直系尊属のみ	$\frac{1}{3}$	—	$\frac{1}{3}$（父母2人いる場合にはこれを頭割り）
兄弟姉妹のみ	なし	—	なし

(3) 遺留分の対象となる財産

　遺留分算定の基礎となる財産は，被相続人が相続開始時に有していた財産だけでなく，相続人に対する相続開始前の生前贈与や相続人以外への相続開始前1年以内の贈与等が加わります。つまり，次の①～⑤の財産合計額に前述の各人の遺留分割合を乗じた金額が各相続人の遺留分の価額となります。

①　被相続人の相続開始時に有していた財産

②　相続人に対して行われた相続開始前10年以内の贈与(注)（特別受益）

　　(注)　令和元年6月30日以前発生の相続については，期間の限定はありません。

③　相続人以外に対して行われた相続開始前1年以内の贈与

④　相続人に対して行われた相続開始前10年より前の贈与（特別受益）および相続人以外に対して行われた相続開始前1年より前の贈与で，被相続人および受贈者の双方が遺留分権利者の遺留分を害することを知りながら行った贈与（悪意である場合）

⑤　被相続人が有していた債務の全額（マイナスの財産）

(4)　遺留分の権利を主張する場合

遺留分を侵害された場合に遺留分を主張するかどうかは，個々の相続人の判断によりますが，遺留分の権利を主張する場合には「遺留分侵害額請求」を行います。この請求は，受遺者（遺贈を受けた人）や受贈者（生前贈与を受けた人）に対して遺留分侵害額請求をする旨の意思表示をするだけです。

ただし，遺留分侵害額請求権は，遺留分を侵害された者が「相続の開始および遺留分を侵害する贈与または遺贈があったことを知った時」から 1 年以内に行使しなければ消滅します。また，「相続の開始を知らなかった場合等」であっても，相続開始のときから10年経過するまでに行使しなければ消滅します。

そのため，通常は消滅する前に遺留分侵害額請求をしたことを証明するために内容証明郵便を用います。

コラム

中小企業経営承継円滑化法における遺留分に関する民法の特例

中小企業における先代経営者から後継者への事業承継が円滑に行われるよう，次のような民法上の遺留分制度の特例があります。

1.　生前贈与株式を遺留分の対象から除外できる制度

一定の要件を満たす中小企業者の後継者が，先代経営者の遺留分権利者全員と合意を行ったうえ，経済産業大臣の確認および家庭裁判所の許可をとったときは，後継者が先代の経営者からの贈与等により取得した株式等について，遺留分を算定するための財産の価額に算入しない，という制度です。

〈この制度を適用することによる効果〉
・事業継続に不可欠な自社株式等が遺留分侵害額請求の対象外となるため，後継者が多額の金銭請求を受けることを回避できます。
・後継者単独で家庭裁判所に申し立てるため，通常の遺留分放棄制度と比して，非後継者の手続きは簡素化されます。

２．贈与株式の評価額をあらかじめ固定できる制度

　　一定の要件を満たす中小企業者の後継者が，先代経営者の遺留分権利者全員と合意を行ったうえ，経済産業大臣の確認および家庭裁判所の許可をとったときは，後継者が先代経営者からの贈与等により取得した株式等について，遺留分を算定するための財産の価額に算入すべき価額を当該合意時の評価額であらかじめ固定できる制度です。

〈この制度を適用することによる効果〉

・生前贈与後の株式価値の上昇分を遺留分の対象外（原則は相続開始時点の株式価値で遺留分を計算する）とすることで後継者の経営意欲の増進につながります。

コラム

配偶者居住権とは

平成30年の民法改正において創設された配偶者居住権について解説します。

１．趣　　旨

　　夫または妻が死亡した場合，残された配偶者はそれまで居住してきた建物に引き続き居住することを希望するのが通常です。配偶者が高齢である場合には，住み慣れた居住建物を離れ新たな生活を立ち上げることは精神的・肉体的にも大きな負担になると考えられます。また，評価額が高い居住用不動産を配偶者が相続すると，他の相続人とのバランスから居住用不動産以外の金融資産などを配偶者が十分相続できず，老後の生活資金を取得できなくなるという事態も起きます。そこで，配偶者の居住権を保護することを目的として配偶者居住権の制度が創設されました。

　　配偶者居住権は居住用不動産の所有権に比べると評価額が圧縮されるため，上手く利用すれば，より多くの金融資産を配偶者が取得でき，老後の生活資金に備えることが可能となります。

２．内　　容

・配偶者居住権とは，配偶者が相続開始時に居住していた被相続人所有の建物について，終身または一定の期間，無償で使用し続ける権利のことをいいます。

・３つの方法（①遺産分割協議，②遺贈（死因贈与を含む），③家庭裁判所の審判）のいずれかの方法により取得することができます。

・第三者に譲渡することは認められません。

・配偶者が死亡したときに消滅します。

3．税務上の取扱い

　配偶者居住権を取得した場合には，配偶者はその財産価値に相当する価額を相続したものとして課税されます。

　他方で，配偶者居住権の対象となった居住建物を取得した相続人は，配偶者居住権という負担付の所有権に相当する価額を相続したものとして課税されます。

　また，居住建物が被相続人の所有する土地上に存在する場合には，その敷地部分について，配偶者は敷地利用権を相続したものとして課税され，他方で，土地を相続した相続人は負担付の土地所有権を相続したものとして課税されます。なお，相続発生後 6 か月間または遺産分割協議がまとまるまでの間認められる配偶者短期居住権は課税の対象とはなりません。

　この取扱いは令和 2 年 4 月 1 日以後に開始する相続において取得する配偶者居住権について適用され，令和 2 年 4 月 1 日以後に作成する遺言書・死因贈与契約書において配偶者居住権を定めることができます。

〈建物の評価〉

①　配偶者居住権の相続税評価額
　　建物の相続税評価額－下記②

②　配偶者居住権が設定された建物（居住用建物）の所有権の相続税評価額

$$建物の相続税評価額 \times \frac{残存耐用年数^{(注1)}－存続年数^{(注2)}}{残存耐用年数^{(注1)}}^{(注3)} \times 存続年数^{(注2)}に応じた民法の法定利率^{(注4)}による複利現価率$$

〈土地（敷地利用権）の評価〉

③　配偶者居住権に基づく居住建物の敷地の利用に関する権利（敷地利用権）の相続税評価額
　　土地等の相続税評価額－下記④

④　居住建物の敷地の所有権等の相続税評価額
　　土地等の相続税評価額×存続年数 $^{(注2)}$ に応じた民法の法定利率 $^{(注4)}$ による複利現価率

〈小規模宅地等の特例の適用について〉

　配偶者敷地利用権（「配偶者居住権」に基づく居住建物の敷地の利用に関する権利）については，小規模宅地等についての相続税の課税価格の計算の特例の対象になります。

　また，配偶者以外の親族が取得する敷地所有権についても，被相続人と同居しており，かつ申告期限まで所有するなどの一定の要件を満たす場合については，小規模宅地等についての相続税の課税価格の計算の特例の対象となります。

（注1） 残存耐用年数：法定耐用年数（住宅用）×1.5－築年数（6月以上の端数は1年とし，6月未満の端数は切り捨てる）
（注2） 存続年数は次のⅰまたはⅱの年数をいいます。
    ⅰ　配偶者居住権の存続期間が終身の間である場合は配偶者の平均余命年数
    ⅱ　ⅰ以外の場合は遺産分割協議等により定められた存続期間の年数（配偶者の平均余命年数を上限とする）
（注3） 「残存耐用年数」または「残存耐用年数－存続年数」がマイナスとなる場合には0とします。
（注4） 民法の法定利率は2020年4月1日より3％となり，その後3年ごとに見直されます。2023年4月1日から2026年3月31日までの法定利率は引き続き3％です。

『第2章』

相続税の基本事項

ここからは相続税の基本的事項について説明します。

第1節　相続税の納税義務者と課税財産の範囲

相続税の納税義務者は，相続または遺贈（死因贈与を含む）により財産を取得した個人です。

納税義務者は，日本に住所がある者とない者に区分され，日本に住所がない者については，さらに日本国籍を有する者かどうかにより区分されます。

これらの納税義務者の区分ごとの相続税の対象となる財産の範囲は，次のように異なります。

納税義務者の区分と課税対象となる相続財産の範囲

相続人／被相続人	相続時に日本に住所がある		相続開始時に日本に住所がない		
			日本国籍がある		日本国籍なし
	一時居住者でない個人	一時居住者(注3)	相続前10年以内に日本に住所がある	左記以外	
相続時に日本に住所がある：下記以外	居住無制限納税義務者	制限納税義務者	非居住無制限納税義務者	制限納税義務者	
相続時に日本に住所がある：外国人被相続人(注1)					
相続時に日本に住所がない：相続前10年以内に日本に住所がある個人(注2)					
相続時に日本に住所がない：上記以外		制限納税義務者		制限納税義務者	

████ ：取得したものは全世界にあるものすべてが日本の相続税の対象となる

☐ ：取得したもののうち日本にあるものだけが日本の相続税の対象となる

（注1） 外国人被相続人とは，相続時において一定の在留資格を有する個人です。
（注2） 相続前10年以内に日本に住所がある個人であっても，被相続人が相続前10年以内のいずれの時においても日本国籍を有していなかった場合には，相続前10年以内に日本に住所がない者として取り扱われます。
（注3） 一時居住者とは，相続時に一定の在留資格を有し，相続前15年以内の国内居住期間の合計が10年以下である個人です。

なお，次のように上記以外にも相続税の納税義務者となるケースがあります。

① 被相続人からの贈与について相続時精算課税（第8章参照）を選択した者で，相続または遺贈により財産を取得していない者

② 被相続人からの贈与により取得した非上場株式等について贈与税の納税猶予（第9章参照）を受けた者で相続または遺贈により財産を取得していない者（農地等について贈与税の納税猶予を受けた者も同様）

③ 代表者の定めのある人格のない社団等に対して遺贈があった場合における当該社団等

④　特定一般社団法人等の理事が死亡した場合における当該社団法人等

　上記のとおり，納税義務者の区分により，課税対象となる財産の範囲が異なりますが，それぞれの財産がどこに所在するかの判断は，財産の種類ごとに次のように定められています。

財産の所在

動産，不動産または不動産の上に存する権利（借地権等），船舶または航空機	これらの財産の所在 ただし，船舶または航空機については，船籍または航空機の登録をした機関の所在
預貯金等	預け入れた営業所または事業所の所在
貸付金債権	債務者の住所または本店もしくは主たる事務所の所在
社債，株式等	社債，株式等の発行法人の本店または主たる事務所の所在
合同運用信託または証券投資信託に関する権利	信託の引受けをした営業所または事業所の所在
営業所等を有する者のその営業所等に係る営業上の権利（売掛金等）	その営業所等の所在
生命保険契約または損害保険契約の保険金	これらの契約に係る保険会社の本店または主たる事業所の所在
退職手当金等	退職手当金等を支払う者の住所または本店もしくは主たる事務所の所在
国債，地方債，外国公債	国債，地方債……相続税法の施行地（日本国内） 外国公債…………その外国
上記以外の財産	その財産の権利者であった被相続人等の住所の所在

　納税義務者の区分により取扱いが異なるのは，課税対象となる財産の範囲だけではありません。債務控除の対象や未成年者控除，障害者控除（詳しくは第3章を参照）も納税義務者の区分により取扱いが異なります。課税財産の範囲以外で取扱いが異なる主なものは次のとおりです。

納税義務者の区分による取扱いの相違

納税義務者の区分	無制限納税義務者		制限納税義務者
	居住無制限納税義務者	非居住無制限納税義務者	
債務控除（相続人または包括受遺者が負担するものに限る）	・被相続人の債務で相続開始の際，現に存するもの ・被相続人の葬式費用		取得した国内財産に係る次のもの ・その財産に係る公租公課 ・その財産を担保とする債務 ・その財産の取得・維持・管理のために生じた債務　等
未成年者控除	法定相続人に限り適用あり		適用なし
障害者控除	法定相続人に限り適用あり	適用なし	

第2節　相続税の納税地

　相続税の納税地は，被相続人の死亡の時における住所地となります。

　ただし，被相続人が日本以外に居住していた場合には，相続税の納税義務者の住所地が納税地となります。なお，この場合に相続税の納税義務者も日本に居住していないときは，納税地を定めるか，あるいは国税庁長官が指定した場所が納税地となります。

相続税の納税地

被相続人の死亡時の住所地	日　　本	日　　本　　以　　外	
		納税義務者が日本に居住	納税義務者が日本以外に居住
納　税　地	被相続人の死亡時における住所地	納税義務者の住所地	納税地を定めるか，国税庁長官が指定した場所を納税地とする

『第3章』

相続税の計算の仕組み

　相続税の計算は，3つのステップに分けて考えると，わかりやすくなります。

　＜ステップⅠ＞では，相続税の対象となる財産の価額を計算します。具体的には，被相続人から取得したプラスの財産から，引き継いだ債務などのマイナスの財産を差し引いて，正味財産の金額を計算します（これを「課税価格」という）。

　被相続人が亡くなったときに所有していた財産は，原則として，すべて相続税の対象となりますし，遺族が受け取る死亡保険金や死亡退職金も相続税の対象となります。また，原則として，被相続人から相続の開始前7年^(注)以内に贈与された財産や相続時精算課税制度の適用を受けた贈与財産がある場合には，その贈与財産は相続財産に持ち戻さなければなりません。これらはプラスの財産です。

　(注)　令和5年12月31日以前に開始した相続については3年（詳しくは45ページ参照）。

　一方，相続税の対象にならない非課税財産，借入金など被相続人の債務，葬式にかかった費用などはマイナスの財産として，相続財産から差し引くことができます。

　このようにして計算した各人の課税価格を合計した金額を「課税価格の合計額」といいます。

　＜ステップⅡ＞では，＜ステップⅠ＞で計算した課税価格の合計額に対して課される相続税の合計額（これを「相続税の総額」という）を計算します。

　相続税は，財産を取得した人が負担すべき税額を取得者ごとに計算する前に，まず，被相続人の正味財産全体（＝課税価格の合計額）にかかる相続税の総額

を計算し，これを各人に配分する仕組みになっています。

　また，相続税には，「基礎控除額」といって，財産額のうちここまでは相続税がかからないという保証額があります。正味財産の額がこの基礎控除額以下である場合には，相続税はかかりません。

　正味財産の額が基礎控除額を超える場合には，その超える部分の金額（これを「課税遺産総額」という）を各相続人が法定相続分に従って取得したものと仮定し，それぞれの取得金額に超過累進税率を適用して税額を計算します。これを合計したものが「相続税の総額」です。

　＜ステップⅢ＞では，＜ステップⅡ＞で計算した相続税の総額を，相続や遺贈（以下，この章では，「相続等」という）により財産を取得した人（以下，この章では，「相続人等」という）ごとに，その取得した正味財産の割合で按分し，各人が納付すべき税額を計算します。

　相続税の計算においては，財産を取得した人の個々の事情に合わせて税負担の調整が行われます。例えば，財産の取得者が配偶者や未成年者，あるいは障害者である場合には税額が軽減されます。逆に，叔（伯）父や叔（伯）母，兄弟などから財産を取得すると，相続税が２割加算され重くなります。

　このような調整には，税金が重くなる加算が１種類，税金が少なくなる税額

課税価格の合計額の計算

被相続人の財産・債務を把握し，相続税の対象となる正味財産額を計算する。

相続税の総額の計算

被相続人の正味財産に対する相続税の合計額を計算する。

各人の納付税額の計算

ステップⅢ

相続税の合計額を各人に配分し，各人が負担すべき税額を計算する。

控除が7種類あります。相続等により財産を取得した人は，これらの調整を終えた後の税額を，最終的に国に納めることになります。

　以上説明した相続税の計算の流れを図で示すと，次のようになります。

相続税の計算の流れ

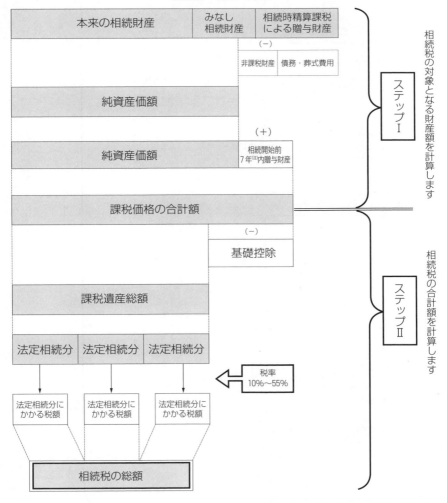

(注)　令和5年12月31日以前に開始した相続については3年（詳しくは45ページ参照）。

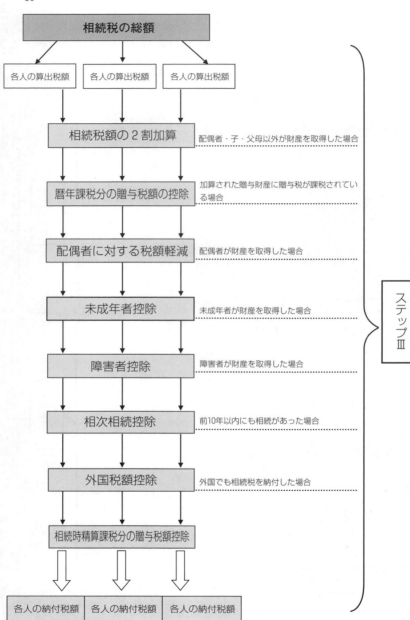

相続税の総額

各人の算出税額　各人の算出税額　各人の算出税額

相続税額の２割加算　配偶者・子・父母以外が財産を取得した場合

暦年課税分の贈与税額の控除　加算された贈与財産に贈与税が課税されている場合

配偶者に対する税額軽減　配偶者が財産を取得した場合

未成年者控除　未成年者が財産を取得した場合

障害者控除　障害者が財産を取得した場合

相次相続控除　前10年以内にも相続があった場合

外国税額控除　外国でも相続税を納付した場合

相続時精算課税分の贈与税額控除

各人の納付税額　各人の納付税額　各人の納付税額

ステップⅢ

各人の納付税額を計算します

第1節　課税価格の合計額の計算（ステップⅠ）

では，〈ステップⅠ〉から具体的に説明します。相続税の計算では，まず最初に，亡くなった人の財産を把握し評価して，財産を取得した人ごとに相続税の対象となる正味財産の金額（これを「課税価格」という）を確定します。

課 税 価 格

本来の相続財産		みなし相続財産	相続時精算課税贈与財産	相続開始前7年(注)以内の贈与財産
非課税財産	債務・葬式費用	課税価格		

(注) 令和5年12月31日以前に開始した相続については3年（詳しくは45ページ参照）。

次に各人の課税価格を合計して「課税価格の合計額」を求め，〈ステップⅡ〉へ進みます。

1．相続税の対象となる財産

被相続人が死亡の時において所有していた財産のうち，経済的価値のあるもの，つまり，お金に見積もることのできる財産はすべて相続税の対象となります。相続税の対象となる財産は，大きく分けると(1)本来の相続財産と(2)みなし相続財産の2つです。

相続財産 ＝ 本来の相続財産 ＋ みなし相続財産

本来の相続財産の具体例

種　類	明　　細
不　動　産	土地（宅地，田，畑，山林など），借地権，建物（自宅，店舗，アパート，マンションなど）など
金　　銭	現金，預貯金など
有 価 証 券	上場株式，未上場株式，出資金，国債や割引債などの債券，投資信託など
事業用資産	売掛金，受取手形，農機具，機械装置，器具備品など
権　　利	営業権，特許権，著作権など
家庭用動産ほか	家具，自動車，書画骨董，美術品，貴金属など
そ　の　他	果樹，立木，船舶，貸付金，未収金，ゴルフ会員権など

(1) 本来の相続財産

「本来の相続財産」とは，民法の規定に従って相続等により取得する財産をいいます。具体的には上記のような財産です。

相続財産であるかどうかの判定では，登記の有無や名義は関係ありません。実質的に被相続人が所有していたものは，すべて相続財産となります。

(2) みなし相続財産

民法上の相続財産ではなくても，実質的には相続等により財産を取得するのと同様な経済的効果があるものについては，課税の公平を図るために，相続等により取得したものとみなして相続税が課税されることとされています。このような財産を「みなし相続財産」と呼びます。主な「みなし相続財産」は，次のような財産です。

① 死亡保険金

被相続人の死亡により取得した生命保険契約や損害保険契約の死亡保険金のうち，被相続人が保険料を負担していた部分は，みなし相続財産として相続税の対象となります。一時金で支払われる保険金のほか，年金の形で支払われるものもみなし相続財産となります。

$$\text{みなし相続財産}\atop\text{となる額} = \text{死亡保険金}\atop\text{の額} \times \frac{\text{被相続人が負担した保険料の額}}{\text{支払った保険料の合計額}}$$

死亡保険金への課税

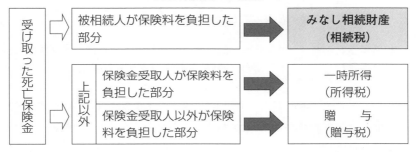

②　死亡退職金

　被相続人の死亡により受け取った退職手当金，功労金などで，被相続人の死亡後3年以内に支給が確定したものは，みなし相続財産として相続税の対象となります。一時金で支払われる退職手当金などのほか，年金の形で支払われるものも含まれます。

　なお，死亡後3年経過した後に支給が確定した退職手当金などは，受け取った遺族の一時所得として所得税の対象となります。

死亡退職金への課税

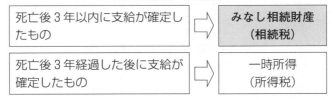

③　生命保険契約に関する権利

　被相続人以外の人が被保険者となっている生命保険契約は，被相続人に相続が発生しても死亡保険金は支払われません。しかし，この保険契約を取得した人が解約をすれば解約返戻金を受け取ることができますので，実

質的には経済的価値のある財産であるといえます。そこで，被相続人以外の人が被保険者となっている生命保険契約（ただし，いわゆる掛け捨ての保険契約は除く）で，被相続人が保険料を負担していたものは，その生命保険契約に関する権利のうち，被相続人が保険料を負担していた部分については，相続税の対象とすることとされています。

$$
\begin{array}{c}
\text{相続財産とみな} \\
\text{される価額}
\end{array}
=
\begin{array}{c}
\text{生命保険契約に関} \\
\text{する権利の価額}
\end{array}
\times
\dfrac{\text{被相続人が負担した保険料の額}}{\text{支払った保険料の合計額}}
$$

なお，生命保険契約に関する権利は，契約者≠被相続人の場合には，みなし相続財産となりますが，契約者＝被相続人の場合には，本来の相続財産として相続税の対象となります。

生命保険契約の加入形態と相続財産の種類

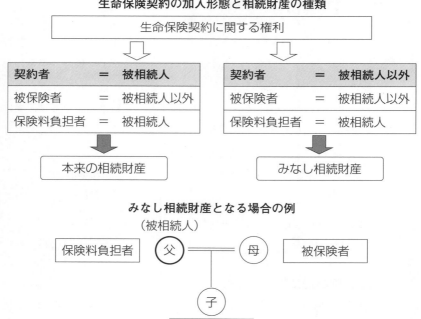

2．非課税財産

　相続税の計算においては，原則として，相続等により取得した財産はすべて課税の対象となります。しかし，その財産の中でも社会政策的見地や国民感情等から相続税の対象とすることが適当でないものについては，「非課税財産」として相続財産から除くこととされています。

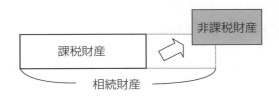

　主な非課税財産は次のとおりです。

(1)　仏壇，仏具，墓地など

　仏壇，仏具，墓地などのうち，日常礼拝の用に供するものは相続財産から除かれます。したがって，商品や骨とう品，投資目的で所有するものは，非課税財産にはあたりません。

(2)　死亡保険金のうち非課税限度額までの金額

　被相続人の死亡により取得した生命保険契約や損害保険契約の死亡保険金のうち，被相続人が保険料を負担していた部分は，みなし相続財産として相続税の対象となります。この相続財産とみなされた死亡保険金で，相続人が受け取った金額のうち，下記の非課税限度額までの金額は相続税の対象から差し引くことができます。

> 非課税限度額　＝　500万円　×　法定相続人の数(注)

(注)　法定相続人の数に関する注意点

　①　法定相続人には養子も含まれますが，相続税の計算上，法定相続人の数に算入できる養子の数は制限されています（詳しくは，6ページ参照）。

　②　相続人のうちに相続を放棄した人がいる場合，その放棄がなかったものとした場合の法定相続人の数となります。

＜死亡保険金の非課税限度額の計算例＞

　　　法 定 相 続 人：配偶者，子供Ａ，子供Ｂの合計３人

　　　非課税限度額：500万円　×　３人　＝　1,500万円

　　ただし，「500万円×法定相続人の数」で計算される金額は，限度額の総額です。複数の相続人が死亡保険金を取得した場合において，各相続人が適用できる非課税限度額は，この非課税限度額の総額を各相続人が取得した死亡保険金の額で按分した金額です。

　　なお，相続の放棄をした人は，相続人でないことから，非課税の適用を受けることはできません。

＜各人ごとの非課税限度額の計算例＞

　　　法 定 相 続 人：長男，長女の２人

　　　保険金取得額：長男　3,000万円，長女　2,000万円

　①　死亡保険金の非課税限度額の総額

　　　　500万円×２人＝1,000万円

　②　非課税限度額の按分計算

　　　　　長男：$1,000万円 \times \dfrac{3,000万円}{3,000万円 + 2,000万円} = 600万円$

　　　　　長女：$1,000万円 \times \dfrac{2,000万円}{3,000万円 + 2,000万円} = 400万円$

　③　相続税の計算に算入される死亡保険金の金額の計算

　　　　　長男：3,000万円－600万円＝2,400万円

　　　　　長女：2,000万円－400万円＝1,600万円

(3)　死亡退職金，功労金のうち非課税限度額までの金額

　　被相続人の死亡により受け取った退職手当金，功労金などで，被相続人の死亡後３年以内に支給が確定したものは，みなし相続財産となります。

　この相続財産とみなされた死亡退職金で，相続人が受け取った金額のうち，下記の非課税限度額までの金額は相続税の対象から差し引くことができます。

> **非課税限度額　＝　500万円　×　法定相続人の数**

　ただし，上記金額は非課税限度額の総額であり，複数の相続人が取得した場合の按分計算や法定相続人の数に関する注意点は，前述の「死亡保険金」の場合と同様です。

(4)　弔慰金のうち非課税限度額までの金額

　被相続人の死亡により被相続人が勤務していた会社から，遺族が受け取る弔慰金，葬祭料，花輪代などは，それが実質的に退職金であると認められる場合を除いて，下記の金額まで相続税の対象となりません。

> ①　被相続人の死亡が業務上の死亡である場合
>
> 　　被相続人の死亡時の普通給与　×　3年分
>
> ②　被相続人の死亡が業務上の死亡でない場合
>
> 　　被相続人の死亡時の普通給与　×　6か月分

　受け取った弔慰金等が上記金額を超える場合には，その超える部分は死亡退職金として取り扱われます（前述の死亡退職金の非課税限度額の適用がある）。

弔慰金などの取扱い

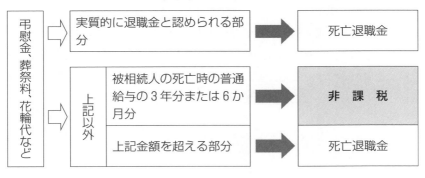

(5) 国，地方公共団体等へ寄附した一定の要件を満たす財産

　相続等で財産を取得した人が，その取得した財産を，相続税の申告期限までに国や地方公共団体，教育・科学の振興・文化の向上・社会福祉への貢献その他公益の増進に著しく寄与する特定の公益社団法人・公益財団法人その他の公益を目的とする法人に贈与した場合には，その贈与した財産は相続税の対象となりません。

3. 債　　務

　相続税は，不動産や現預金などの被相続人のプラスの財産から，債務を差し引いた後の正味財産に課税される税金です。したがって，財産を取得した人が債務を引き継いでいる場合には，相続税の計算上，その債務および次項で説明する葬式費用を課税財産から差し引くことができます。

　この場合，相続財産から差し引くことができる債務は，相続開始時点で確定しているものに限られます。

　ただし，被相続人に課される税金で被相続人の死亡後相続人等が納付することになった未払税金は，被相続人が死亡したときに確定していないものであっても，債務として差し引くことができます。

　なお，債務控除できるのは，相続または遺贈により財産を取得した相続人と包括受遺者のみです。また，それらの者が制限納税義務者の場合，控除できる債務はその財産に係る公租公課など一定のものに限られます。

控除できる債務とできない債務の具体例

控除できるもの	控除できないもの
・借　入　金 ・未払医療費 ・未　払　金 ・被相続人にかかる未払税金 　（所得税，住民税，事業税，消費 　税，固定資産税など） ・アパートなどの預り敷金 ・買掛金など事業債務	・墓地購入未払金 ・保　証　債　務(注) ・団体信用生命保険(注)付ローン ・遺言執行費用 ・相続にかかる弁護士費用や税理士 　費用

（注）　主たる債務者が弁済不能な状態にあり，保証人がその債務を履行しなければな
　　　らないなど一定の状況にある場合には，控除できます。

4．葬式費用

　相続人および包括受遺者（いずれからも制限納税義務者を除く）が被相続人の葬式にかかった費用を負担した場合には，課税財産から差し引くことができます。

控除できる葬式費用とできない葬式費用の具体例

控除できるもの	控除できないもの
・密葬，本葬の費用 ・通夜の費用 ・葬儀の際またはその前の埋葬，火 　葬，納骨費用 ・葬式の前後に生じた費用で通常必要 　と認められるもの ・死体の捜索，死体・遺骨の運搬費用	・初七日や四十九日などの法要費用 ・香典返戻費用 ・遺体解剖費用

5．相続開始前7年以内の贈与財産の加算

　相続等により財産を取得した人が，原則として，その相続の開始前7年以内に，被相続人からの贈与により財産を取得したことがある場合には，相続税の計算上，その贈与財産を相続財産に加算します。ただし，贈与税の配偶者控除

（144ページ参照）の適用を受けた金額や直系尊属から贈与を受けた住宅取得資金のうち非課税の適用を受けた金額（146ページ参照）は加算する必要はありません。

　一方，教育資金や結婚・子育て資金の一括贈与に係る非課税の適用を受けた金額のうち一定の部分については相続財産に加算する必要があります（詳しくは149ページ～154ページ参照）。

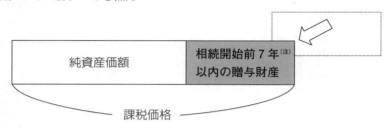

　相続財産へ加算する生前贈与の対象期間は，相続開始日により異なります。

生前贈与加算対象期間

相続開始日	贈与の加算対象期間および加算額
令和6年1月1日以降	相続開始前7年以内。 ただし，令和5年12月31日以前の贈与により取得した財産については，その贈与が相続開始前3年以内に該当する場合のみ加算する。 また，相続開始前3年超7年以内に受けた贈与については，その間の贈与財産の合計額から100万円を控除した残額を相続財産に加算する。
令和5年12月31日以前	相続開始前3年以内。

具体的な加算対象期間は以下のとおりです。

贈与の時期	加算対象期間
～令和5年12月31日	相続開始前3年間

令和6年1月1日〜	贈与者の相続開始日	
	令和6年1月1日〜 令和8年12月31日	相続開始前3年間
	令和9年1月1日〜 令和12年12月31日	令和6年1月1日〜 相続開始日
	令和13年1月1日〜	相続開始前7年間

（国税庁「令和5年度相続税及び贈与税の税制改正のあらまし」より）

　贈与された財産を相続財産に加算する際の評価額は，相続時ではなく贈与時の評価額になります。

　なお，贈与時に贈与税が課税されている場合であっても，その贈与税額は相続税額から控除されるため，相続税と贈与税が二重に課税されるという問題は発生しません（詳しくは，54ページの「3．税額控除　(1)暦年課税分の贈与税額控除」参照）。

6．相続時精算課税制度による贈与財産

　相続人等が被相続人からの贈与について相続時精算課税制度を選択していた場合には，その贈与財産を相続財産に加算して相続税を計算します（詳しくは，第8章を参照）。

7．小規模宅地等の課税価格の計算の特例

　被相続人等の自宅敷地や事業の用に供していた宅地のうち一定の要件を満たすものには，事業用宅地については400㎡，居住用宅地については330㎡までの部分に限り，評価額の80％を課税価格から控除できる特例があります。また，一定の不動産貸付用の宅地については200㎡までの部分に限り，評価額の50％を課税価格から控除できます。この特例を「小規模宅地等の課税価格の計算の特例」といいます（詳しくは，77ページ参照）。

第2節　相続税の総額の計算（ステップⅡ）

　相続税の計算は，各人が取得した財産から直接，その人が負担すべき税金を計算するのではなく，まず，相続財産全体にかかる相続税の合計額を計算し，その後，その合計額を各人に配分するという仕組みになっています。そこで，相続税の計算の第2ステップでは，＜ステップⅠ＞で計算した「課税価格の合計額」を基にして，「相続税の総額」を計算します。

1．相続税の基礎控除額と課税遺産総額

　課税価格の合計額から「基礎控除額」を差し引いて「課税遺産総額」を計算します。

| 課税価格の合計額 | － | 基礎控除額 | ＝ | 課税遺産総額 |

　「基礎控除額」とは，相続税がかからない保証額であり，次の算式により計算します。

基礎控除額＝3,000万円＋600万円×法定相続人の数(注)

　　(注)① 法定相続人には養子も含まれますが，相続税の計算上，法定相続人の数に算入できる養子の数は制限されています（詳しくは，6ページ参照）。

　　　　② 相続人のうちに相続を放棄した人がいる場合，その放棄がなかったものとしたときの法定相続人の数となります。

　課税価格の合計額が基礎控除額より少ない場合には相続税はかかりません。課税価格の合計額が基礎控除額を超える場合に，その超える部分（これを「課税遺産総額」という）に対して相続税がかかることになります。

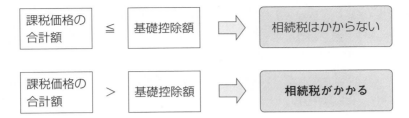

基礎控除額の早見表

法定相続人の数	基礎控除額	法定相続人の数	基礎控除額
0人	3,000万円	4人	5,400万円
1人	3,600万円	5人	6,000万円
2人	4,200万円	6人	6,600万円
3人	4,800万円	7人	7,200万円

2．相続税の総額の計算

「課税遺産総額」を基にして「相続税の総額」を計算します。

相続税の総額の計算順序

① 課税遺産総額を法定相続人が法定相続分どおりに分けたものと仮定して，各相続人の取得金額を計算する。

② 各相続人の法定相続分に応じた取得金額に税率をかけて相続税を計算する。

③ 各相続人の法定相続分に応じた取得金額に対する税額を合計して，「相続税の総額」を計算する。

　具体的な金額を使いながら，相続税の総額の計算方法を説明します。

　相続人は，妻と長男，長女の3人です。相続財産の合計額は4億円であり，非課税財産が2,500万円，債務・葬式費用が5,500万円あるケースを考えます。相続財産の合計額から非課税財産および債務・葬式費用を控除した課税価格の合計額は3億2,000万円。また，法定相続人は3人ですから，基礎控除は4,800万円（3,000万円＋600万円×3人），したがって，課税遺産総額は2億7,200万円になります。

相続税の総額の計算

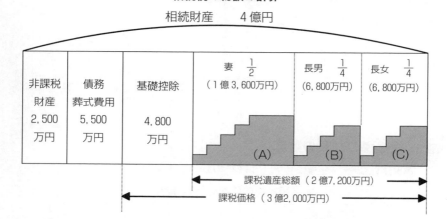

① 課税遺産総額を法定相続人である妻，長男，長女が，法定相続分どおりに取得したものと仮定して，各人の取得金額を計算します。

　妻　　　　　2億7,200万円×$\frac{1}{2}$＝1億3,600万円

　長男　　　　2億7,200万円×$\frac{1}{4}$＝6,800万円

　長女　　　　2億7,200万円×$\frac{1}{4}$＝6,800万円

② 各相続人の法定相続分に応じる取得金額に税率をかけて相続税を計算します（次頁「速算表」参照）。

　妻　　　　　1億3,600万円×40％－1,700万円＝3,740万円

　長男　　　　6,800万円×30％－700万円＝1,340万円

　長女　　　　6,800万円×30％－700万円＝1,340万円

相続税の税率速算表

各相続人が取得した金額		税率	控除額
	1,000万円以下	10%	―
1,000万円超	3,000万円以下	15%	50万円
3,000万円超	5,000万円以下	20%	200万円
5,000万円超	1億円以下	30%	700万円
1億円超	2億円以下	40%	1,700万円
2億円超	3億円以下	45%	2,700万円
3億円超	6億円以下	50%	4,200万円
6億円超		55%	7,200万円

＜超過累進税率＞

　相続税の税率は，下記の図のように，各相続人が取得する金額が多いほど税率も高くなる，超過累進税率という仕組みになっています。

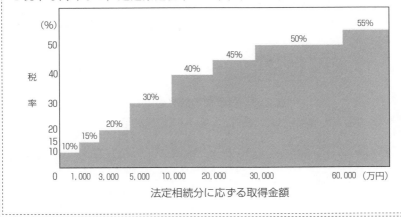

③　各相続人の法定相続分に応じる取得金額に対する税額を合計して，「相続税の総額」を計算します。この例では，相続税の総額は6,420万円になります。

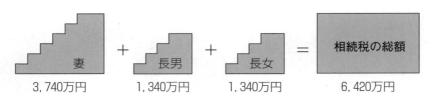

妻　3,740万円 ＋ 長男　1,340万円 ＋ 長女　1,340万円 ＝ 相続税の総額　6,420万円

第3節　各人の納付税額の計算（ステップⅢ）

　相続税の計算の最終ステップである第3ステップでは，各人ごとの納付税額を計算します。

　まず，＜ステップⅡ＞で計算した「相続税の総額」を，各々が取得した正味財産額であるところの課税価格の割合で按分し，各人の相続税額を算出します（これを「算出相続税額」という）。実際の遺産分割は必ずしも法定相続分どおりではありません。相続税の総額は，各人が実際に取得した財産の割合に応じて配分され，各人が負担することになります。

　次に，財産を取得した各人ごとの事情に応じた税額調整を行い，各人が納付すべき税額を計算します。

　流れを図で示すと下のようになります。

各人の納付税額の計算の流れ

【各人の算出税額の計算】　　　【税額調整】

相続税の総額

Aさんの算出相続税額

Bさんの算出相続税額

Cさんの算出相続税額

・2割加算
・暦年課税分の贈与税額控除
・配偶者の税額軽減
・未成年者控除
・障害者控除
・相次相続控除
・外国税額控除
・相続時精算課税分の贈与税額控除

納付税額

納付税額

納付税額

1．各人ごとの算出相続税額の計算

　各人の相続税額は，その人が実際に取得した財産の課税価格が，財産を取得した人全員の課税価格の合計額に占める割合（按分割合）を，＜ステップⅡ＞で計算した「相続税の総額」に掛けて計算します。

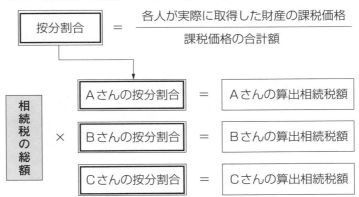

2．相続税額の2割加算

　被相続人から相続等により財産を取得した人が，次の人以外の人である場合には，その人の相続税額にその相続税の2割が加算されます。

2割加算の対象とならない人

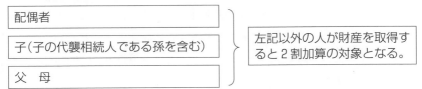

　したがって，被相続人の祖父母や兄弟姉妹，孫（本来の相続人である子がすでに亡くなっているため代襲相続人となる場合は2割加算の対象にはならない）などが相続等により財産を取得した場合には，その人の相続税は2割増しとなります。

　例えば，相続人Aさんが2割加算の対象になる人だったとします。Aさんの算出相続税額が100万円だった場合，100万円×20％＝20万円が加算されますの

で，相続税は100万円＋20万円＝120万円になります。

なお，被相続人の孫が被相続人の養子になっている場合でも，その孫が代襲相続人となっている場合を除き，2割加算の対象となります。

3．税額控除

相続税の計算上，税額から控除できるものは7種類あり，次の順番で控除することとされています。

① 暦年課税分の贈与税額控除

② 配偶者の税額軽減

③ 未成年者控除　　　　　　　　　　　　　　　　適用順序

④ 障害者控除

⑤ 相次相続控除

⑥ 外国税額控除

⑦ 相続時精算課税分の贈与税額控除

以下，上記の順に各税額控除について説明します。

(1) 暦年課税分の贈与税額控除

被相続人から相続開始前7年^(注)以内に贈与された財産がある場合には，その財産を相続財産に持ち戻して相続税を計算することとされていますが，その贈与財産を贈与されたときに贈与税が課税されているときは，同じ財産に対し，贈与税と相続税が二重に課税されてしまうことになります。そこで，この二重課税を防ぐために，贈与されたときにかかった贈与税を相続税から控除することとされています。

(注) 令和5年12月31日以前に開始した相続については3年（詳しくは45ページ参照）。

控除額は次の算式で計算します。

$$\begin{array}{l}\text{贈与税} \\ \text{額控除} \\ \text{額}\end{array} = \begin{array}{l}\text{贈与を受} \\ \text{けた年の} \\ \text{贈与税額}\end{array} \times \frac{\text{(a)のうち相続税の課税価格に加算された贈与財産額}}{\text{贈与を受けた年の贈与税の課税価格 (a)}^{(注)}}$$

(注)　贈与税の配偶者控除（144ページ参照）の適用を受けた金額や直系尊属から贈与を受けた住宅取得資金，教育資金，結婚・子育て資金のうち非課税の適用を受けた金額（149～154ページ参照）は含みません。

(2)　配偶者の税額軽減

配偶者については，被相続人の財産形成に寄与していると考えられること，また，相続後の生活保障を考慮して，税額を軽減する措置が設けられています。この取扱いにより，配偶者は，法定相続分までは相続等により財産を取得しても相続税はかかりません。また，法定相続分を超えて取得した場合でも，取得した財産額が1億6,000万円以下であれば相続税はかかりません。

配偶者の税額軽減額は，具体的には，次の算式により計算します。

$$\text{配偶者の税額軽減額} = \text{相続税の総額} \times \frac{\text{次の①または②のいずれか大きい方の金額}}{\text{課税価格の合計額}}$$

①　課税価格の合計額　×　配偶者の法定相続分
②　1億6,000万円

(注)　上記算式で計算した金額が，配偶者の算出相続税額（贈与税額控除後の金額）を超える場合には，算出相続税額が上限となります。

なお，この取扱いは婚姻期間に関係なく，相続時点で婚姻の届出を提出している配偶者に対し適用されます。したがって，内縁関係にある人には適用できません。

次に，配偶者の税額軽減の適用を受ける際の注意点をいくつか説明します。

①　申　告　要　件

この特例の適用を受けるためには，相続税の申告書を提出する必要があります。この軽減により，税額がゼロとなる場合でも，申告書は提出しなければなりません。

②　財産が未分割の場合

この特例は，原則として，申告期限までに遺産分割が整い，配偶者が取得する財産が確定していないと適用を受けることができません。したがっ

て，申告期限までに遺産分割が整っていない場合（これを「未分割」という）には，この特例は適用できません。

　ただし，相続税の申告期限後３年以内[注]に遺産分割が整い配偶者が取得する財産が確定した場合には，「更正の請求」を行うことにより，この特例の適用を受けて，税金を還付してもらうことができます。

（注）　申告期限後３年以内に分割できないやむをえない事情があり，税務署長の承認を受けている場合には，その事情がなくなってから４か月以内となります。

③　仮装・隠ぺいした財産がある場合

　相続税の税務調査等で，相続等により財産を取得した人が被相続人の財産を仮装または隠ぺいしていたことがわかった場合には，その仮装・隠ぺいされた財産については，この特例は適用できません。

(3)　未成年者控除

　次の要件をすべて満たす未成年者が相続または遺贈により財産を取得した場合には，その人が18歳[注2]に達するまでの年数に10万円を掛けた金額を，その人の相続税額から控除することができます。

① 制限納税義務者でないこと

② 法定相続人であること

> **控除額＝（18歳[注2]－相続開始時点での年齢）×10万円**

（注１）　18歳[注2]に達するまでの年数に１年未満の端数がある場合には，その端数は１年として計算します。

（注２）　令和４年３月31日以前の相続または遺贈に係る相続税については，20歳。

　なお，未成年者控除額をその未成年者の相続税額から控除しきれない場合には，その控除しきれない金額は，その未成年者の扶養義務者で同じ被相続人から相続等により財産を取得した人の相続税額から控除することができます。

(4)　障害者控除

　次の要件をすべて満たす障害者が相続または遺贈により財産を取得した場合には，その人が85歳に達するまでの年数に10万円（特別障害者の場合は20万円）を掛けた金額を，その人の相続税額から控除することができます。

① 日本に住所があること（ただし，制限納税義務者に該当する場合を除く）

② 法定相続人であること

③ 85歳未満であること

> **控除額＝（85歳－相続開始時点での年齢）×10万円**（特別障害者の場合は20万円）

　(注) 85歳に達するまでの年数に1年未満の端数がある場合には，その端数は1年として計算します。

　特別障害者とは，精神または身体に重度の障害がある人で，例えば，身体障害者手帳に1級または2級であると記載された人などが該当します。

　なお，障害者控除額をその障害者の相続税額から控除しきれない場合には，その控除しきれない金額は，その障害者の扶養義務者で同じ被相続人から相続等により財産を取得した人の相続税額から控除することができます。

(5) 相次相続控除

　短期間に相次いで相続が発生した場合，同じ財産に対して何度も相続税が課税されることとなり，税負担が重くなりすぎます。そこで，10年以内に2回以上の相続が発生した場合には，前回の相続で課せられた相続税のうち一定額を，後の相続における相続税から控除することができます。

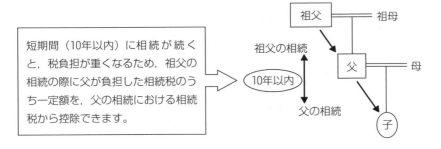

<適用要件>

① その相続（上図では父の相続）の開始前10年以内に開始した相続（上図では祖父の相続）により，被相続人（父）が財産を取得し相続税を課せられていること

② 被相続人（父）の相続人であること（母および子）

控除額は，次の算式により計算します。

$$\text{控除限度額} = A \times \frac{C}{B-A} \left[\frac{100}{100} \text{を超えるときは} \frac{100}{100} \right] \times \frac{D}{C} \times \frac{10-E}{10}$$

A：前回の相続により被相続人が取得した財産に対して課せられた相続税額
B：前回の相続により被相続人が取得した財産の価額
C：今回の相続により相続人等全員が取得した財産の価額の合計額
D：今回の相続により相続人が取得した財産の価額
E：前回の相続から今回の相続までの期間

(6) 外国税額控除

相続等により国外にある財産を取得した場合に，その国外財産について，その財産の所在する国において相続税に相当する税金が課税されることがあります。そうすると，1つの財産に対し日本の税金と外国の税金の両方が課税されることになり，国際間で，いわゆる二重課税といわれる問題が発生します。それを防ぐために，国外財産に対し外国で相続税が課税された場合には，日本の相続税の計算上，一定の金額を控除できることとされています。

控除限度額は，次の①および②のうち，いずれか小さい方の金額となります。

① その国外財産に対し，外国で課された相続税の額

② その人の算出相続税額 × $\dfrac{\text{分母のうち外国にある財産の価額}^{(注1)}}{\text{相続税の課税価格}^{(注2)}}$

(注1)　相続開始年分に被相続人から贈与された国外財産の価額を含みます。また，その国外財産に関する債務がある場合には，その債務を控除した後の金額です。

(注2)　債務控除をした後の金額に，相続開始年分に被相続人から贈与された財産の価額を加算した金額です。

(7)　相続時精算課税分の贈与税額控除

　相続時精算課税適用財産について課せられた贈与税がある場合には，その人の相続税額からその贈与税額を控除します（詳しくは，第8章を参照）。

『第4章』

財 産 評 価

第1節　財産評価とは

1．相続税・贈与税の計算における財産評価

　相続税・贈与税の計算は，相続・遺贈または贈与により取得した財産の価額に基づいて行われます。

　相続や贈与により取得した土地，借地権，家屋，預貯金，株式などの有価証券，ゴルフ会員権，宝石，家財道具などお金に見積もることができる財産は，すべて相続税・贈与税の対象となります。そこで，相続税・贈与税を計算するためには，まず，「取得した財産の価額が（金額に換算すると）いくらになるのか」を算定する必要があります。これを「財産評価」といいます。

　財産評価の原則は，「時価評価」です。すなわち，相続税の場合は「相続が発生した時」，贈与税の場合は「贈与により財産をもらった時」の時価で評価する，ということになります。

　しかし，相続や贈与により財産を取得する場合，対価を支払うことなく（無償で）財産を取得するため，預貯金や上場株式など「時価」を把握しやすいものは別として，不動産や未上場株式などの財産を「時価評価」するのは非常に困難です。

　そこで，評価する人により価額が変わり課税の公平が損なわれることがないように，かつ，評価の簡便性・安全性などを確保するために，国税庁から一定の財産評価の「ルール」が公表されています。この「ルール」を「財産評価基

本通達」といい，私たちは通常，この「財産評価基本通達」に従って財産を評価することになります。

この「財産評価基本通達」では，財産の種類別に具体的な評価方法が定められています。

2．相続財産の内訳＜参考＞

国税庁資料（令和5年12月）によりますと，令和4年分における相続税の対象となった財産の構成割合（下表参照）は，不動産が37.4％（土地32.3％，家屋・構築物5.1％），未上場株式を含む有価証券が16.3％で，全体の4割強が金額に換算しにくい不動産等で占められていることがわかります。

相続財産額の種類別内訳（令和4年分）

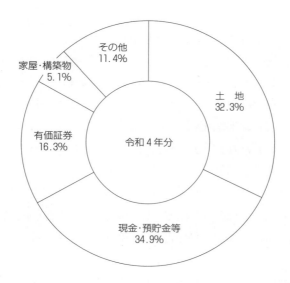

（国税庁ホームページより）

　相続税・贈与税を計算するうえでは，こういった換金性の低い財産をいくらとすべきかという不動産等の評価が大変重要になってくるというわけです。

　そこで，この章では，「土地」の評価方法を中心に，その他「家屋」「株式」等の評価方法について説明していくことにします。

第2節　土地の評価

1．評価の区分

　土地は，次のような地目に分類され，地目別に評価方法が異なります。地目は，登記簿上の地目にかかわらず，課税時期（相続，贈与により土地を取得した時）の現況により判断します。

　例えば，実際はアパートの敷地となっている土地でも，登記簿上の地目は「山林」となっている場合があります。この場合，土地の評価区分としては，「山林」ではなく「宅地」として評価することになります。

① 宅　地

② 田

③ 畑

④ 山　林

⑤ 原　野

⑥ 牧　場

⑦ 池　沼

⑧ 鉱泉地

⑨ 雑種地

2．宅地の評価単位

　宅地は，利用の単位となっている1区画の宅地（これを「1画地」という）ごとに評価します。利用の単位とは，自宅敷地や貸家・アパートの敷地，駐車場等のことで，必ずしも1画地＝1筆となっているわけではありません。1画地

＝2筆であったり，1筆＝2画地であったりしますので，評価をする際は実際の利用状況を確認することが大切です。

　では，具体例を見てみましょう。

(1) A・B別々に評価する場合

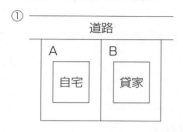

A宅地には本人の自宅が建っており，B宅地には貸家が建っており，利用単位が異なるので，A・B別々に評価します。

A宅地，B宅地を甲，乙それぞれ別々の借地人に貸し付けているので，A・B別々に評価します。

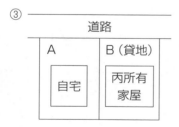

A宅地には本人の自宅が建っており，B宅地は丙に貸し付けているので，A・B別々に評価します。

甲と乙がそれぞれA宅地，B宅地を取得しているので，A・B別々に評価します。

(2)　A・Bを合わせて1画地として評価する場合

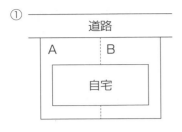

A宅地もB宅地も自宅敷地ですので，A・B全体を1画地として評価します。

A宅地は本人の自宅敷地で，B宅地には自営の店舗が建っている場合，いずれも本人が使用していますので，A・B全体を1画地として評価します。

3．宅地の評価方法

　宅地の評価方法には路線価方式と倍率方式があり，その宅地の所在地に応じてどちらの方式によって評価するか決められています。

　評価しようとする宅地をどちらの方式によって評価するかは，国税庁ホームページから「路線価図」(67ページ参照)・「評価倍率表」(74ページ参照)にて調べることができます。

宅地の所在地	評価方式
①　市街地的形態を形成する地域にある宅地	路線価方式
②　①以外の宅地	倍 率 方 式

4. 路線価方式による評価

　道路にはそれぞれ，その道路に面している宅地1㎡あたりの価額が付されており，これを「路線価」といいます。路線価方式は，この「路線価」に基づき評価する方法です。

⑴　路線価図の見方

　路線価は，毎年7月初旬にその年1月1日時点の価額として，国税庁より公表されています。

　令和5年分路線価（および評価倍率）は，令和5年7月3日に公表されており，同日から各国税局，税務署や国税庁ホームページ（http://www.nta.go.jp）でいつでも調べることができます。また，令和6年分路線価は令和6年7月の頭に公表が予定されています。

　令和5年1月1日から令和5年12月31日までに相続または贈与により取得した宅地等については，この「令和5年分の路線価図」を基に評価額を計算します。同じく令和6年1月1日から令和6年12月31日までに相続または贈与により取得した宅地等は「令和6年分の路線価図」を基に評価額を計算します。

　「路線価図」には，路線価だけでなく，地区区分や借地権割合等も記載されており，土地の評価をするうえでなくてはならない資料です。

　ご興味があれば，ご自宅や勤務先周辺の路線価図を調べていただくとおもしろいと思います。

令和5年分 路線価図

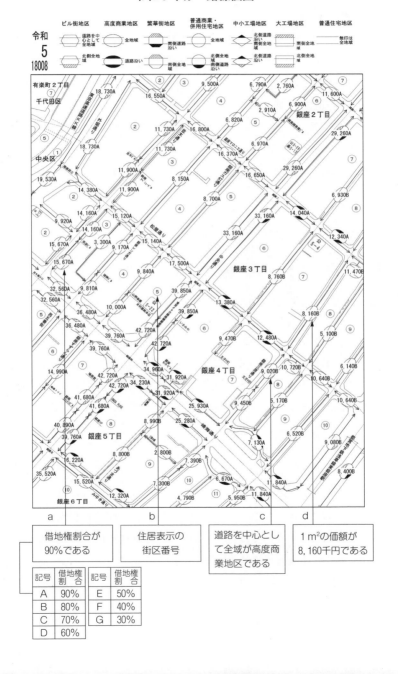

記号	借地権割合	記号	借地権割合
A	90%	E	50%
B	80%	F	40%
C	70%	G	30%
D	60%		

(2) 路線価方式による計算

① 土地の面積

　　土地の面積は，相続により取得した時または贈与により取得した時における実際の面積によります。したがって，登記簿上の地積と実測した地積が異なる場合には，実測した地積によって評価することになります。

② 1つの道路に面している宅地

　　右図のような宅地の評価額の計算方法です。

　　下の算式で計算します。

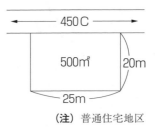

(注) 普通住宅地区

評価額＝路線価×奥行価格補正率[注1]×宅地の面積[注2]

(注1) 　奥行価格補正率は，土地の所在する地区区分ごとに奥行距離に応じて定められている割合です。

(注2) 　宅地の面積は，上記①を参照してください。

　　上図の場合，評価する宅地は1㎡あたり450千円の路線価が付されており，無印であることから普通住宅地区に所在することがわかります。奥行距離は20mですから，該当する奥行価格補正率は「奥行価格補正率表」(70ページ) から1.00となります。

　　したがって，公式に当てはめてみますと，

　　　450千円×1.00×500㎡＝225,000千円

がこの宅地の評価額となります。

　　仮に，同じ500㎡の宅地でも奥行距離が25m，間口距離が20mだとしたら評価額はどのように変わるでしょうか。普通住宅地区における奥行距離25mに対応する奥行価格補正率は0.97になりますので，

　　　450千円×0.97×500㎡＝218,250千円

と，上図の宅地より若干評価が低くなります。

このように，面積が同じでも，その土地の利便性や利用価値を考慮して割合（補正率）が定められ，その利用価値が評価額として金額に反映されるようになっています。

③ 角地の場合（正面と側方に道路がある場合）

二方が道路に面している，いわゆる角地は，一方だけが道路に面している宅地より利用価値が高いといえますので，評価の面でもこれを考慮して計算します。

下図の宅地の評価額を計算してみましょう。

まず，正面路線を決めます。「路線価×奥行価格補正率」の大きい方の路線が正面路線となり，もう一方の路線が側方路線となります。

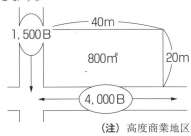

(注) 高度商業地区

したがって，①1,500千円×1.00＝1,500千円と②4,000千円×1.00＝4,000千円で，②が正面路線となります。

また，路線価1,500千円と4,000千円が◯で囲まれていますので，「路線価図」（67ページ）より高度商業地区に所在することがわかります。

次に，正面路線価に側方路線価の影響を加味して上図宅地における1㎡あたりの価額を求めます。側方路線価の影響をどのくらい加味するかは，地区区分に応じて異なり，この側方路線価の影響を加味する割合を「側方路線影響加算率」といいます。

上図の場合，側方路線影響加算率は，「側方路線影響加算率表」（73ページ）から高度商業地区の角地の場合は0.10となるので，この宅地の1㎡あたりの価額は，

　　4,000千円×1.00＋1,500千円×1.00×0.10

　　＝4,150千円

となります。

　これに面積を乗ずると宅地の評価額になりますから，

　　4,150千円×800㎡＝3,320,000千円

となり，上図の宅地800㎡の評価額は3,320,000千円となります。

まとめると，次のようになります。

$$評価額＝\left(\frac{正　面}{路線価}×\frac{奥行価格}{補　正　率}＋\frac{側　方}{路線価}×\frac{奥行価格}{補　正　率}×\frac{側方路線}{影響加算率}\right)×\frac{宅地の}{面　積}$$

④　正面と裏面に道路が面している場合

　正面と裏面に道路がある場合も，一方だけが道路に面している宅地に比べ利用価値が高いことから，評価をする際には，正面路線価に裏面の路線価の影響を考慮して計算します。

　具体的に，右図のような宅地で評価額を計算してみましょう。

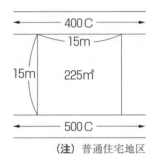

（注）普通住宅地区

　まずは，正面路線を決めます。

　前述のとおり，「路線価×奥行価格補正率」の大きい方の路線が正面路線となります。500千円と400千円のいずれの路線も普通住宅地区に所在し，奥行距離は15mですから，奥行価格補正率は1.00となります（72ページ）。したがって，正面路線価は500千円，裏面路線価は400千円ということになります。

　この正面路線価500千円に裏面路線価の影響を加味するわけですが，この場合は，「二方路線影響加算率」（地区区分に応じて異なる）を補正率として用います。

　「二方路線影響加算率表」（73ページ）を見ると，普通住宅地区の二方路線影響加算率は0.02となっています。

したがって，この宅地の1㎡あたりの価額は，

　　500千円×1.00＋400千円×1.00×0.02＝508千円

と計算できます。上図の宅地225㎡の評価額は，

　　508千円×225㎡＝114,300千円

となります。

　　まとめると，次のようになります。

$$評価額＝\left(\begin{array}{c}正\ \ 面 \\ 路線価\end{array}×\begin{array}{c}奥行価格 \\ 補\ 正\ 率\end{array}＋\begin{array}{c}裏\ \ 面 \\ 路線価\end{array}×\begin{array}{c}奥行価格 \\ 補\ 正\ 率\end{array}×\begin{array}{c}二\ 方\ 路\ 線 \\ 影響加算率\end{array}\right)×\begin{array}{c}宅地の \\ 面\ \ 積\end{array}$$

　　実際の宅地は，②〜④のような形状だけではなく，道路に面していない宅地，間口が非常に狭小な宅地，がけ地部分がある宅地，不整形な宅地とさまざまです。「財産評価基本通達」ではこういったさまざまな宅地を評価するための「補正率」や評価方法がこのほかたくさん定められていますが，ここでは，最も基本的なパターンの紹介にとどめます。

奥行価格補正率表

奥行距離(m) ＼ 地区区分	ビル街地区	高度商業地区	繁華街地区	普通商業・併用住宅地区	普通住宅地区	中小工場地区	大工場地区
4未満	0.80	0.90	0.90	0.90	0.90	0.85	0.85
4以上 6 〃		0.92	0.92	0.92	0.92	0.90	0.90
6 〃 8 〃	0.84	0.94	0.95	0.95	0.95	0.93	0.93
8 〃 10 〃	0.88	0.96	0.97	0.97	0.97	0.95	0.95
10 〃 12 〃	0.90	0.98	0.99	0.99	1.00	0.96	0.96
12 〃 14 〃	0.91	0.99	1.00	1.00		0.97	0.97
14 〃 16 〃	0.92	1.00				0.98	0.98
16 〃 20 〃	0.93					0.99	0.99
20 〃 24 〃	0.94					1.00	1.00
24 〃 28 〃	0.95				0.97		
28 〃 32 〃	0.96		0.98		0.95		
32 〃 36 〃	0.97		0.96	0.97	0.93		
36 〃 40 〃	0.98		0.94	0.95	0.92		
40 〃 44 〃	0.99		0.92	0.93	0.91		
44 〃 48 〃	1.00		0.90	0.91	0.90		
48 〃 52 〃		0.99	0.88	0.89	0.89		
52 〃 56 〃		0.98	0.87	0.88	0.88		
56 〃 60 〃		0.97	0.86	0.87	0.87		
60 〃 64 〃		0.96	0.85	0.86	0.86	0.99	
64 〃 68 〃		0.95	0.84	0.85	0.85	0.98	
68 〃 72 〃		0.94	0.83	0.84	0.84	0.97	
72 〃 76 〃		0.93	0.82	0.83	0.83	0.96	
76 〃 80 〃		0.92	0.81	0.82			
80 〃 84 〃		0.90	0.80	0.81	0.82	0.93	
84 〃 88 〃		0.88		0.80			
88 〃 92 〃		0.86			0.81	0.90	
92 〃 96 〃	0.99	0.84					
96 〃 100 〃	0.97	0.82					
100 〃	0.95	0.80			0.80		

側方路線影響加算率表

地 区 区 分	加 算 率	
	角地の場合	準角地^(注)の場合
ビル街地区	0.07	0.03
高度商業地区，繁華街地区	0.10	0.05
普通商業・併用住宅地区	0.08	0.04
普通住宅地区，中小工場地区	0.03	0.02
大工場地区	0.02	0.01

(注) 準角地とは，右図のように一系統の路線の
屈折部の内側に位置するものをいいます。

二方路線影響加算率表

地 区 区 分	加 算 率
ビル街地区	0.03
高度商業地区，繁華街地区	0.07
普通商業・併用住宅地区	0.05
普通住宅地区，中小工場地区	0.02
大工場地区	

5．倍率方式による評価

　倍率方式は，固定資産税評価額にその地域ごとに国税局長が定める倍率を乗
じて計算した金額によって評価する方法です。

評価額＝固定資産税評価額×国税局長の定める倍率

　「固定資産税評価額」は，毎年4～6月頃に都税事務所，市役所等から固定資
産税の納税通知書と一緒に送付される固定資産の「課税明細書」等で確認する
ことができます。

　「国税局長の定める倍率」は，路線価図と共に毎年7月1日に国税庁から公表
される「評価倍率表」（74ページ）で確認します。

令和5年分　　倍　率　表

令和5年分　　　　　倍　率　表　　　　　　　1頁

市区町村名：横浜市青葉区					緑税務署					
音順	町(丁目)又は大学名	適用地域名	借地権割合	宅地	固定資産税評価額に乗ずる倍率等					
					田	畑	山林	原野	牧場	池沼
			%	倍	倍	倍	倍	倍	倍	倍
い	市ケ尾町	市街化調整区域								
		1　農業振興地域内の農用地区域			純 55	純 63				
		2　上記以外の地域	50	1.2	中 80	中 97	中 88			
		市街化区域	—	路線	比準	比準	比準	比準		
え	荏田町	市街化調整区域	50	1.4	中 96	中 121	中 88	中 88		
		市街化区域	—	路線	比準	比準	比準	比準		
お	大場町	市街化調整区域								
		1　農業振興地域内の農用地区域			純 69	純 62				
		2　上記以外の区域	50	1.2		中 104				
	恩田町	市街化区域	—	路線	比準	比準	比準	比準		
		市街化調整区域								
		1　農業振興地域内の農用地区域			純 58	純 75				
		2　特別緑地保全地域					中 124			
		3　上記以外の地域	50	1.2	中 80	中 103	中 62			
		市街化区域	—	路線	比準	比準	比準	比準		
か	上谷本町	農業振興地域内の農用地区域			純 55	純 67				
		上記以外の地域	50	1.0	中 80	中 105	中 91			
	鴨志田町	市街化調整区域								
		1　農業振興地域内の農用地区域				純 63				
		2　上記以外の地域	50	1.2		中 93	中 90			
		市街化区域	—	路線	比準	比準	比準	比準		
く	鉄町	市街化調整区域								
		1　農業振興地域内の農用地区域			純 58	純 73				
		2　上記以外の地域	50	1.0	中 97	中 97	中 93	中 93		
		市街化区域	—	路線	比準	比準	比準	比準		
さ	さつきが丘	市街化調整区域								
		1　農業振興地域内の農用地区域				純 74				
		2　上記以外の地域	50	1.3			中 62			

市街化区域は「路線価地域」である

宅地の固定資産税評価額に乗ずる倍率は1.2である

借地権割合は50%である

6．利用状況の違いによって異なる宅地の評価

　ここまで宅地の評価方法について説明してきましたが，宅地の利用形態は，自宅の敷地であったり，貸家の敷地であったり，貸宅地（借地人所有の家屋の敷地）であったりさまざまです。

　そこで，宅地の評価については，利用形態ごとに，その状況を斟酌して評価を行うように定められています。

(1)　自　用　地

　自用地とは，所有者の自由になる，土地に他の権利や制限がない宅地をいいます。自宅の敷地や空地，青空駐車場等の敷地などが自用地に該当します。評価しようとする宅地が自用地の場合は，路線価方式（66ページ～）または倍率方式（73ページ）により評価した金額そのものがその宅地の評価額となります（「自用地評価額」という）。

(2)　借　地　権

　地主の土地を借りて借地人が家を建てている場合，すなわち家屋の所有を目的として賃借している宅地に関する権利は「借地権」として評価します。借地人は土地の所有者ではありませんが，借地権は借地借家法によって強く保護される権利であり，財産価値を有することから評価の対象とされます。

　借地権の評価額は自用地評価額に借地権割合を乗じて求めます。借地権割合は，路線価図・評価倍率表に記載されています。

評価額＝自用地評価額×借地権割合

(3)　貸　宅　地

　借地権が設定されている宅地（借地人の家屋の敷地）を貸宅地（底地）といい，その評価額は，自用地評価額から借地権相当額を控除した金額となります。

　地主はいうまでもなくその土地の所有者ですが，貸宅地は借地人の家屋の敷地であるために，自用地に比して著しくその土地の利用は制限されます。そこで，その借地人の権利である借地権相当額を自用地評価額から控除するというわけです。

> 評価額＝自用地評価額－借地権評価額
> 　　　＝自用地評価額×（1－借地権割合）

＜参考＞　宅地の賃貸借に伴う地主と借地人の権利関係

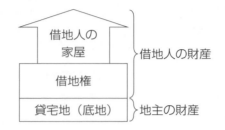

(4)　貸家建付地

　貸家建付地とは，地主が貸家を建てている場合のその敷地をいいます。地主が建てるアパートや賃貸ビルの敷地が貸家建付地に該当します。

　この場合，土地も家屋も所有者は地主ですが，アパートや賃貸ビルに借家人やテナントが入居していますので，地主の土地の利用はいくぶん制限されますし，借家人やテナントに立ち退いてもらう場合には立退料が必要になることも考えられます。そこで，貸家建付地の評価も自用地評価額から一定の評価減を行います。

> 評価額＝自用地評価額－自用地評価額×借地権割合×借家権割合(注)
> 　　　＝自用地評価額×（1－借地権割合×借家権割合）

(注)　令和5年分の借家権割合は30％です。

(5)　使用貸借により貸し付けている宅地

　例えば，父所有の土地を子供が借りて子供が家を建てる場合，通常権利金の授受や地代の授受を行うことはありません(これを行うと課税が生じることになる)。このような親族間の土地の賃借を「使用貸借」といい，「賃貸借」とは区別して考えます。このような土地を評価する際は，子供が家を建てていても父

がその土地を利用するうえでの制約はないと考えられるため，自用地として評価します。

　反対にその土地を使用貸借により借りている子供は，その土地についての権利の価額はゼロとなります。

(6) 私　　　　　道

　もっぱら特定の者の通行の用に供されている宅地，すなわち私道は，その宅地の自用地評価額の30％相当額によって評価します。

$$評価額＝自用地評価額 \times \frac{30}{100}$$

　ただし，その私道が不特定多数の者の通行の用に供されているときには，評価額はゼロとなります。

7．小規模宅地等の評価減の特例

　相続財産の中に自宅や事業に使われていた宅地がある場合に，その宅地の評価額の一定割合を減額することができる特例です。

　これは，「相続税を支払うために，自宅の敷地や自営店舗の敷地を売却しなければならない」といったことがないように，最小限の居住・事業の継続を確保するためにつくられた特例です。被相続人等の自宅敷地，事業用宅地，同族会社の事業用宅地，不動産貸付用宅地について一定の要件を満たす場合に，一定面積までの評価額について50％減額，または80％減額が認められている制度です。

　この特例の適用を受けるためには，特例適用により相続税がゼロになる場合でも相続税申告が必要になります。また，申告期限までに遺産分割が成立していない場合は，原則として適用を受けることができません。

(1) 適用対象となる宅地・面積と減額割合

　この特例は，被相続人（亡くなった人）または被相続人と生計を一にしていた被相続人の親族の居住用，事業用，不動産貸付用の宅地（建物または構築物の敷地の用に供されているもの）を対象としています。

　減額割合は該当する要件に応じて異なります。80％減額ができる宅地は原則として「特定居住用宅地等」，「特定事業用宅地等」，「特定同族会社事業用宅地等」の３つで，「貸付事業用宅地等」は50％減額の適用が認められます。

　また，減額割合だけでなく，適用限度面積も該当する要件に応じて異なります。

　相続等により取得する宅地等について，適用対象宅地と減額割合および適用限度面積をまとめると以下のようになります。

適用対象宅地と減額割合および適用限度面積

相続開始直前の状況		取得者	継続要件 （申告期限まで）		減額割合	限度面積
			所有	居住 または事業		
居住用宅地等	特定居住用 宅地等	（要件なし）	×	×	適用なし	
		配偶者	×	×	80%	330㎡
		同居親族	○	○	80%	330㎡
		別居親族 （一定の者に限る）	○	×	80%	330㎡
事業用宅地等 （賃貸不動産を除く）	特定事業用 宅地等^(注1)	（要件なし）	×	×	適用なし	
		親族	○	○	80%	400㎡
不動産賃貸	貸付事業 用宅地等^(注2)	（要件なし）	×	×	適用なし	
		親族	○	○	50%	200㎡
同族会社に賃貸 （同族会社が事業）	特定同族会社 事業用宅地等	（要件なし）	×	×	適用なし	
		役員である親族	○	○	80%	400㎡

（注１）　平成31年４月１日以後に相続等により取得する土地について，相続開始前３年以内に事業の用に供された宅地等については特定事業用宅地等の範囲から除外されます。ただし，当該宅地の上で事業の用に供されている減価償却資産の価額が当該宅地等の相続時の価額の15％以上であれば，特定事業用宅地等に該当します。

（注２）　平成30年４月１日以後に相続等により取得する土地について，相続開始前３年以内に貸付事業の用に供された宅地等は，貸付事業用宅地等の範囲から除外されます（相続開始前３年を超えて事業的規模により貸付事業を行っている場合を除く）。

　なお，特定居住用宅地等と特定事業用等宅地等（特定事業用宅地等および特定
同族会社事業用宅地等をいう）はそれぞれの限度面積まで完全併用することがで
きますが，貸付事業用宅地等については完全併用は認められず，限定的な併用
になります。これらを考慮したうえで，だれがどの宅地について特例の適用を
受けるのが最も有利になるかという判断が必要です。

⑵　適用要件簡易フローチャート

　では，「特定居住用宅地等」，「特定事業用宅地等」，「貸付事業用宅地等」，「特
定同族会社事業用宅地等」について，適用要件をフローチャートで順に確認し
ていきましょう。

①　特定居住用宅地等の適用要件

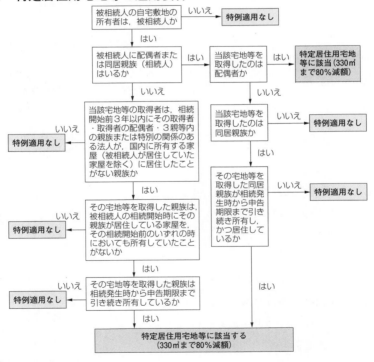

　　（注1）　被相続人と生計を一にしていた親族の居住の用に供されていた宅地等も居住
　　　　　用宅地に該当し，一定の要件を満たせば特定居住用宅地等に該当します。

(注2)　一棟の二世帯住宅に被相続人とその親族が，構造上区分された各独立部分に居住している場合でも，その親族は同居親族として取り扱われ，他の要件を満たせば，特例の適用を受けることができます。ただし区分所有登記がされている場合には，このような取扱いはされません。

(注3)　老人ホームに入居した場合の自宅敷地については，老人ホームの入所が介護が必要なための入所であり，かつ，当該家屋が貸付け等の用途に供されていない場合に限り，被相続人の居住用宅地等として取り扱われ，他の要件を満たす限り，特定の適用を受けることができます。

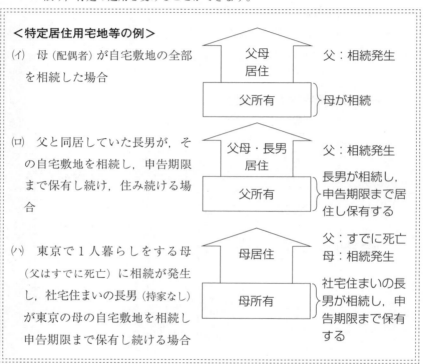

＜特定居住用宅地等の例＞

(イ)　母（配偶者）が自宅敷地の全部を相続した場合

父母居住／父所有　　父：相続発生　母が相続

(ロ)　父と同居していた長男が，その自宅敷地を相続し，申告期限まで保有し続け，住み続ける場合

父母・長男居住／父所有　　父：相続発生　長男が相続し，申告期限まで居住し保有する

(ハ)　東京で1人暮らしをする母（父はすでに死亡）に相続が発生し，社宅住まいの長男（持家なし）が東京の母の自宅敷地を相続し申告期限まで保有し続ける場合

母居住／母所有　　父：すでに死亡　母：相続発生　社宅住まいの長男が相続し，申告期限まで保有する

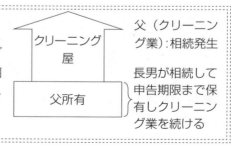

＜特定事業用宅地等の例＞

　長男が父の事業（クリーニング屋）の店舗敷地を相続し，申告期限まで所有しクリーニング業を引き続き営んでいる場合

クリーニング屋／父所有　　父（クリーニング業）：相続発生　長男が相続して申告期限まで保有しクリーニング業を続ける

② 特定事業用宅地等の適用要件

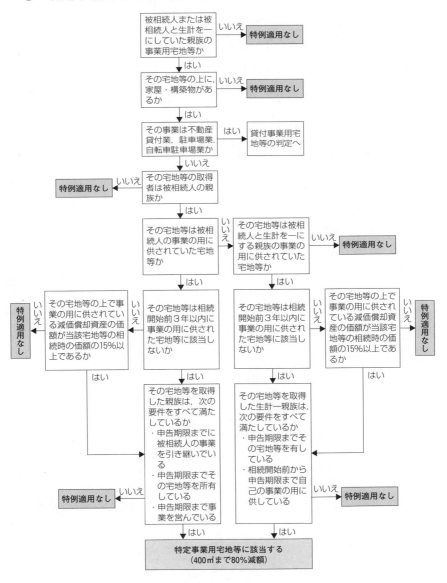

被相続人または被相続人と生計を一にしていた親族の事業用宅地等か
→ いいえ → **特例適用なし**
↓ はい

その宅地等の上に、家屋・構築物があるか
→ いいえ → **特例適用なし**
↓ はい

その事業は不動産貸付業，駐車場業，自転車駐車場業か
→ はい → 貸付事業用宅地等の判定へ
↓ いいえ

その宅地等の取得者は被相続人の親族か
→ いいえ → **特例適用なし**
↓ はい

その宅地等は被相続人の事業の用に供されていた宅地等か
→ いいえ → その宅地等は被相続人と生計を一にする親族の事業の用に供されていた宅地等か → いいえ → **特例適用なし**
↓ はい（左）　↓ はい（右）

（左）その宅地等は相続開始前3年以内に事業の用に供された宅地等に該当しないか
→ いいえ → その宅地等の上で事業の用に供されている減価償却資産の価額が当該宅地等の相続時の価額の15%以上であるか → いいえ → **特例適用なし**
↓ はい

（右）その宅地等は相続開始前3年以内に事業の用に供された宅地等に該当しないか
→ いいえ → その宅地等の上で事業の用に供されている減価償却資産の価額が当該宅地等の相続時の価額の15%以上であるか → いいえ → **特例適用なし**
↓ はい

（左）その宅地等を取得した親族は，次の要件をすべて満たしているか
・申告期限までに被相続人の事業を引き継いでいる
・申告期限までその宅地等を所有している
・申告期限まで事業を営んでいる
→ いいえ → **特例適用なし**
↓ はい

（右）その宅地等を取得した生計一親族は，次の要件をすべて満たしているか
・申告期限までその宅地等を有している
・相続開始前から申告期限まで自己の事業の用に供している
→ いいえ → **特例適用なし**
↓ はい

特定事業用宅地等に該当する（400㎡まで80%減額）

③ 貸付事業用宅地等の適用要件

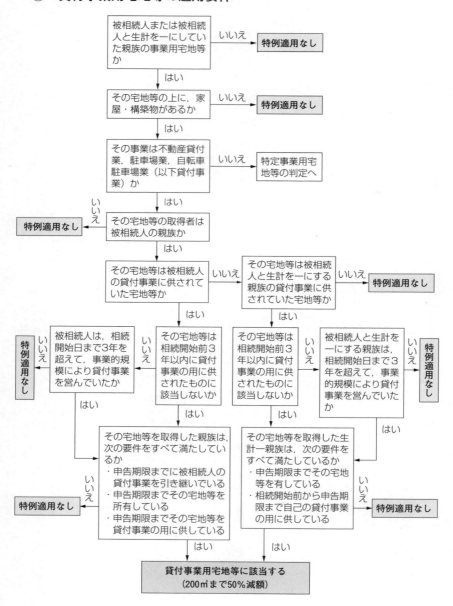

被相続人または被相続人と生計を一にしていた親族の事業用宅地等か

→ いいえ → **特例適用なし**

↓ はい

その宅地等の上に，家屋・構築物があるか

→ いいえ → **特例適用なし**

↓ はい

その事業は不動産貸付業，駐車場業，自転車駐車場業（以下貸付事業）か

→ いいえ → 特定事業用宅地等の判定へ

↓ はい

その宅地等の取得者は被相続人の親族か

← いいえ ← **特例適用なし**

↓ はい

その宅地等は被相続人の貸付事業に供されていた宅地等か

→ いいえ → その宅地等は被相続人と生計を一にする親族の貸付事業に供されていた宅地等か → いいえ → **特例適用なし**

↓ はい（左）　　↓ はい（右）

その宅地等は相続開始前3年以内に貸付事業の用に供されたものに該当しないか

← いいえ → 被相続人は，相続開始日まで3年を超えて，事業的規模により貸付事業を営んでいたか → いいえ → **特例適用なし**

その宅地等は相続開始前3年以内に貸付事業の用に供されたものに該当しないか

→ いいえ → 被相続人と生計を一にする親族は，相続開始日まで3年を超えて，事業的規模により貸付事業を営んでいたか → いいえ → **特例適用なし**

↓ はい

その宅地等を取得した親族は，次の要件をすべて満たしているか
・申告期限までに被相続人の貸付事業を引き継いでいる
・申告期限までその宅地等を所有している
・申告期限までその宅地等を貸付事業の用に供している

→ いいえ → **特例適用なし**

その宅地等を取得した生計一親族は，次の要件をすべて満たしているか
・申告期限までその宅地等を有している
・相続開始前から申告期限まで自己の貸付事業の用に供している

→ いいえ → **特例適用なし**

↓ はい　　↓ はい

貸付事業用宅地等に該当する（200㎡まで50%減額）

④ 特定同族会社事業用宅地等の適用要件

被相続人およびその親族その他被相続人の特別関係者の持株割合が50％超である同族会社の事業用宅地等か ──いいえ──→ **特例適用なし**

↓はい

同族会社に対して相当の対価を得て貸し付けているか ──いいえ──→ **特例適用なし**

↓はい

同族会社の事業は不動産貸付業，駐車場業，自転車駐車場業か ──はい──→ 貸付事業用宅地等の判定へ

↓いいえ

その宅地等の取得者は，申告期限においてその同族会社の役員である親族か ──いいえ──→ **特例適用なし**

↓はい

次の要件をすべて満たしているか
・その宅地等を取得した親族が申告期限までその宅地等を有している
・申告期限までその同族会社が事業を営んでいる ──いいえ──→ **特例適用なし**

↓はい

**特定同族会社事業用宅地等に
該当する
（400㎡まで80％減額）**

- -

＜特定同族会社事業用宅地等の例＞

同族会社の役員である長男が同族会社所有建物の敷地を相続し申告期限まで所有し続け，同族会社も申告期限まで引き続き事業（不動産貸付業を除く）を営んでいる場合

地代

同族会社所有（本社ビル）

父所有

父（同族会社の100％株主で社長）
：相続発生

長男（役員）が相続して申告期限まで保有し，同族会社は申告期限まで事業を継続

第3節　家屋の評価

　家屋の評価は，その固定資産税評価額に基づいて行います。固定資産税評価額は，土地と同様に，固定資産税の納税通知書と一緒に送付される固定資産の「課税明細書」等で確認することができます。

1．自 用 家 屋

　固定資産税評価額そのものが評価額となります。

> **評価額＝固定資産税評価額　（×1.0）**

2．貸家，アパート

　地主が建てた貸家・アパートに賃借人が入居している場合には，その地主が家屋を利用するうえで制限があるという観点から一定の評価減の適用があります。

> **評価額＝自用家屋評価額－自用家屋評価額×借家権割合(注)**
> **　　　　＝固定資産税評価額×（1－借家権割合）**

（注）　令和5年分の借家権割合は30％です。

3．居住用区分所有財産

　居住用区分所有財産，いわゆる分譲マンションの評価は，土地部分と建物部分に分けて行います。

　従来，土地は，敷地全体の評価額に持分割合を乗じて評価し，家屋は，居室の固定資産税評価額を評価額としていました。しかし，個別通達が新たに制定され，令和6年1月1日以後相続等により取得した居住用の区分所有財産を評価する場合には，上記評価額に評価水準に応じた区分所有補正率を乗じて評価

するよう改められました。

> **区分所有財産の評価額＝①＋②**
> 　　土地　敷地全体の評価額×持分割合×区分所有補正率　　①
> 　　建物　居室の固定資産税評価額　　　×区分所有補正率　　②

※区分所有補正率

区分	区分所有補正率
評価水準＜0.6	評価乖離率×0.6
0.6≦評価水準≦1	補正なし（従来の評価額）
1＜評価水準	評価乖離率

※評価水準＝1÷評価乖離率

※評価乖離率＝A＋B＋C＋D＋3.220

　　A：マンションの築年数[注1]×△0.033

　　B：マンションの総階数[注2]÷33（1を超える場合は1）×0.239（小数点以下第4位切捨）

　　C：居室の所在階数[注3]×0.018

　　D：土地の敷地持分面積÷居室の専有床面積×△1.195（小数点以下第4位切上）

　　（注1）　1年未満の端数は1年
　　（注2）　総階数には地階を含まない
　　（注3）　地階のときは，ゼロ

※従来の評価方法によるもの（区分所有補正を行わないもの）

　事業用のテナント物件，区分建物の登記がされていないもの（一棟所有の賃貸マンションなど），地階を除く総階数が2以下の集合住宅，およびいわゆる2世帯住宅

＜マンション評価の具体例＞

　令和6年中に，築15年の10階建てのマンションの901号室を相続した場合の評価額

敷地全体の評価額　　　　：3億円

敷地の持分割合　　　　　：1/60

居室の固定資産税評価額　：1,000万円

居室の専有部分の床面積　：60m^2

敷地持分の面積　　　　　：15m^2

1001	・	・	・	・	1006
901	・	・	・	・	906
801	・	・	・	・	806
701	・	・	・	・	706
601	・	・	・	・	606
501	・	・	・	・	506
401	・	・	・	・	406
301	・	・	・	・	306
201	・	・	・	・	206
101	・	・	・	・	106

マンションの敷地

評価乖離率

$$= \underbrace{15年 \times \triangle 0.033}_{A} + \underbrace{10階 \div 33 \times 0.239}_{B} + \underbrace{9階 \times 0.018}_{C} + \underbrace{15 \div 60 \times \triangle 1.195}_{D}$$

$+3.220$

$=2.66$

評価水準および区分所有補正率

$1 \div 2.66 = 0.375939 \quad < 0.6 \qquad \therefore 区分所有補正率 = 2.66 \times 0.6 = 1.596$

評価額

土地　　　　　　　　：　　3億円×1/60＝500万円

　　　　　　　　　　　　　500万円×1.596＝798万円　　　　…①

建物　　　　　　　　：　　1,000万円×1.596＝1,596万円　　…②

マンションの評価　　：　①＋②＝　2,394万円

第４節　株式の評価

１．上　場　株　式

　上場株式は，その株式が上場されている証券取引所の公表する課税時期（相続が発生した日または贈与を受けた日）の最終価格（終値）または課税時期の属する月以前３か月間の毎日の終値の各月ごとの平均額のうち，最も低い価額によって評価します。具体的には，次の①～④のうち最も低い価額で評価します。

①　課税時期の終値^(注)

②　課税時期の属する月の毎日の終値の平均額

③　課税時期の属する月の前月の毎日の終値の平均額

④　課税時期の属する月の前々月の毎日の終値の平均額

(注)　課税時期において終値がない場合には，課税時期前後で最も近い日の終値とします。

　また，国内には，東京・札幌・名古屋・福岡と４つの証券取引所がありますが，２以上の証券取引所に上場されている株式を評価する場合には，原則として納税者がどの証券取引所が公表する課税時期の終値を使用するか選択することができます。

　なお，負担付贈与（資産と借入金を抱き合わせで行う贈与，139ページ参照）や個人間において低額譲渡により上場株式を取得した場合は，「①課税時期の終値」により評価します。

２．未上場株式（取引相場のない株式）

(1)　取引相場のない株式の評価手順フローチャート

　上場株式は，取引相場がありますので「株式を取得する人」が誰であっても時価は１つです。ところが，未上場株式（「取引相場のない株式」という）は，オーナー社長一族（同族株主等）にとっての１株と，一般従業員や友人にとって

の1株とでは，その価値（時価）がまったく異なります。

そこで，株式の評価方法においても，その「価値の認識が異なる」点を考慮して，株式を取得する人が同族株主等であるか否かによって評価方法が異なります。具体的には，「同族株主等」にとっての株式は，株式の所有を通じて「会社の支配権」としての価値を有すると考え，会社の業績や資産内容を反映した評価方式（これを「原則的評価方式」という）により評価します。

一方，一般従業員や友人等(同族株主等以外の株主)にとっては，その会社からもらえる配当金程度，すなわち「配当期待権」程度の価値しかないと考え，会社の配当実績に基づく評価方式（これを「特例的評価方式」という）により評価します。

なお，ここではいわゆる普通株式を発行している会社の株式を対象として説明します。

取引相場のない株式の評価は，まずその株式を取得した人が「同族株主等」に該当するか否かを判定するところから始まります。フローチャートで評価の手順を確認しましょう。

取引相場のない株式の評価手順フローチャート

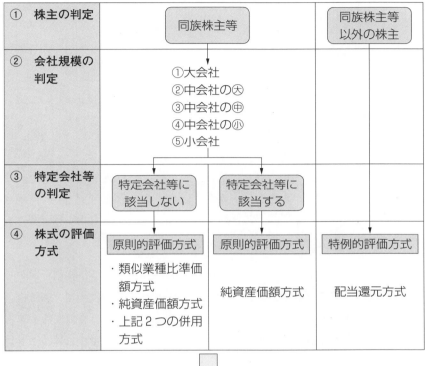

①	株主の判定	同族株主等		同族株主等 以外の株主
②	会社規模の判定	①大会社 ②中会社の⑤ ③中会社の⑪ ④中会社の⑩ ⑤小会社		
③	特定会社等の判定	特定会社等に 該当しない	特定会社等に 該当する	
④	株式の評価方式	原則的評価方式 ・類似業種比準価額方式 ・純資産価額方式 ・上記 2 つの併用方式	原則的評価方式 純資産価額方式	特例的評価方式 配当還元方式

株価計算へ

(2)　株主の判定：同族株主等に該当するか否か

　「同族株主等」に該当するか否かの判定は，当該未上場会社の株主を「株主グループ」にグループ分けしてから行います。その株式を取得した人とその同族関係者(注)を 1 株主グループとしてグループ分けを行い，その株式取得後における筆頭株主グループの議決権割合を算出し，次のフローチャートによって判定します。

　(注)　同族関係者とは，親族（ 6 親等内の血族，配偶者， 3 親等内の姻族）とその他特殊関係にある個人・法人をいいます。

同族株主等の判定

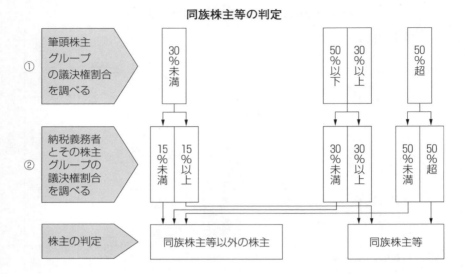

例えば，筆頭株主グループ（オーナー社長およびその親族）の議決権割合が80％
であった場合を考えてみましょう。フローチャートより「議決権割合50％超」
に該当することがわかりますので，筆頭株主グループの株主は「同族株主等」
となります。そして筆頭株主グループ以外の株主は「同族株主等以外の株主」
ということになります。

(3) 同族株主等が取得した株式の評価：原則的評価方式

① 会社規模で決まる評価方式

同族株主等が取得した株式は会社の業績や資産内容に基づく原則的評価
方式により評価します。

この「原則的評価方式」には「類似業種比準価額方式」と「純資産価額
方式」の2種類の評価方式があります。

「類似業種比準価額方式」とは，その会社が上場するとしたらどのくらい
の株価か？　というアプローチに基づく評価方式で，「純資産価額方式」と
は，その会社を清算するとしたらどのくらいの財産が分配できるか？　と
いうアプローチに基づく評価方式です。この2種類の評価方式に加え，両

者を併用する評価方式があり，いずれの方式を適用するかは会社の規模に
よって異なります。

　なお，ここでいう「会社の規模」とは，あくまでも相続税評価上のもの
であり，会社法上の会社規模とはまったく別のものです。

② 会社規模の判定

　会社規模は，直前期における従業員数，直前期末における従業員数を加
味した総資産価額，および直前期末以前1年間の取引金額により判定しま
す。

　従業員数とは，直前期末以前1年間フルに勤務した従業員の数です。年
の途中で入退職した人やパートタイマーについては，その就業時間を集計
し，その合計時間数を1800時間で除した数を従業員数として加算します。

(イ)　従業員数が70人以上の会社：大会社とします。

(ロ)　従業員数が69人以下の会社：⑦取引高基準と⑩従業員数を加味した総
　　資産基準によりそれぞれ判定し，いずれか大きい方の会社規模としま
　　す。

⑦　取引高基準

取 引 金 額			会社区分
卸売業の会社	小売・サービス業の会社	それ以外の会社	
30億円以上	20億円以上	15億円以上	大会社
30億円未満〜7億円以上	20億円未満〜5億円以上	15億円未満〜4億円以上	中会社の大
7億円未満〜3.5億円以上	5億円未満〜2.5億円以上	4億円未満〜2億円以上	中会社の中
3.5億円未満〜2億円以上	2.5億円未満〜6,000万円以上	2億円未満〜8,000万円以上	中会社の小
2億円未満	6,000万円未満	8,000万円未満	小会社

㊃　従業員数を加味した総資産基準

総資産価額 卸売業の会社	小売・サービス業の会社	それ以外の会社	従業員数 69人以下 35人超	35人以下 20人超	20人以下 5人超	5人以下
20億円以上	15億円以上	15億円以上	大会社			
20億円未満 4億円以上	15億円未満 5億円以上	15億円未満 5億円以上	中会社の㋘			
4億円未満 2億円以上	5億円未満 2.5億円以上	5億円未満 2.5億円以上		中会社の㊥		
2億円未満 7,000万円以上	2.5億円未満 4,000万円以上	2.5億円未満 5,000万円以上			中会社の㋛	
7,000万円未満	4,000万円未満	5,000万円未満				小会社

　　　例えば，評価しようとする会社が㋑取引高基準によると「中会社の㋘」
で，㊃従業員数を加味した総資産基準によると「中会社の㊥」に該当する
場合，当該会社の会社規模は，「中会社の㋘」ということになります。

③　原則的評価方式

㋑　類似業種比準価額方式

　　類似業種比準価額方式は，評価会社と業種の類似する上場会社の株価を
基にして，さらに会社の業績等を表す基本要素である配当金額・利益金額・
簿価純資産価額の3要素について類似する上場会社と当該評価会社とを比
較して算出します。

1株あたり類似業種比準価額

$$= A〔類似〕株価 \times \cfrac{\cfrac{B〔会社〕配当}{B〔類似〕配当} + \cfrac{C〔会社〕利益}{C〔類似〕利益} + \cfrac{D〔会社〕純資産}{D〔類似〕純資産}}{3}$$

×斟酌率（大会社：0.7，中会社：0.6，小会社：0.5）

Ａ＝類似業種の株価（課税時期の属する月以前３か月間の各月および前年平均額，課税時期の属する月以前２年間の平均額のうち，いずれか低い金額）

Ｂ＝課税時期の属する年の類似業種の１株あたりの配当金額

Ⓑ＝評価会社の直前期末および直前々期末における１株あたりの配当金額の平均値（２年間）

Ｃ＝課税時期の属する年の類似業種の１株あたりの年利益金額

Ⓒ＝評価会社の直前期末以前１年間または２年間の年平均における１株あたりの利益金額（法人税の課税所得を基礎とした金額）のいずれか低い金額

Ｄ＝課税時期の属する年の類似業種の１株あたりの簿価純資産価額

Ⓓ＝評価会社の直前期末における１株あたりの簿価純資産価額

(注1)　配当，利益，簿価純資産は，１株あたり資本金等の額を50円として換算した株数を用います。

(注2)　Ａ，Ｂ，Ｃ，Ｄの数値は，「類似業種比準価額計算上の業種目及び業種目別株価等について」として通達で公表されており，国税庁ホームページ（http://www.nta.go.jp）により調べることができます。

　類似業種比準価額方式では，利益を出し，配当を出している会社や，過去の利益の蓄積が大きい会社の株価は高くなりますが，会社の財産時価（含み益）は反映されない，という特徴があります。

㈣　純資産価額方式

　純資産価額方式は，評価会社の課税時期における資産・負債の相続税評価額を基として，１株あたりの純資産価額を算出します。具体的には評価会社が課税時期に解散・清算するとした場合に，その会社の株主に分配されるべき「正味財産の価値」を，次の算式により算出します。

$$\text{1株あたりの純資産価額} = \frac{\left[\text{総資産評価額－負債金額}\right] - \left[\begin{array}{c}\text{清算所得に対する}\\\text{法人税等相当額}\end{array}\right]}{\text{発行済株式総数}}$$

(注)　**総資産評価額**……相続税評価額により計算します。

　　　　負債金額……課税時期における評価会社の各負債の合計額によります。

清算所得に対する法人税等相当額……

　　課税時期において評価会社を清算したと仮定して計算した金額です。具体的には相続税評価額による純資産価額と帳簿価額による純資産価額の差額（評価差益）に37％を乗じて計算します。

発行済株式総数……自己株式を除きます。

　純資産価額は，会社の財産時価（含み益）が反映されますので，会社が赤字であっても含み資産を有する場合は，株価が高くなるという特徴があります。

＜純資産価額方式の計算例＞

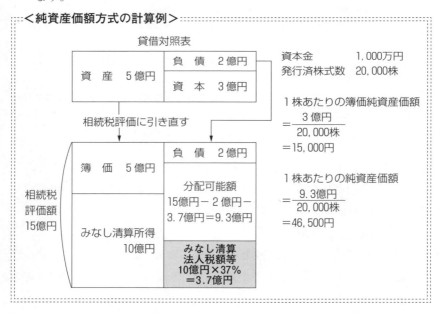

貸借対照表

| 資　産　5億円 | 負　債　2億円 |
| | 資　本　3億円 |

資本金　　　　　1,000万円
発行済株式数　　20,000株

1株あたりの簿価純資産価額
$$=\frac{3億円}{20,000株}$$
$$=15,000円$$

相続税評価に引き直す

相続税評価額15億円

簿　価　5億円	負　債　2億円
	分配可能額　15億円－2億円－3.7億円＝9.3億円
みなし清算所得　10億円	みなし清算法人税額等　10億円×37％＝3.7億円

1株あたりの純資産価額
$$=\frac{9.3億円}{20,000株}$$
$$=46,500円$$

(ハ) 併用方式（折衷価額）

　「類似業種比準価額」と「純資産価額」の折衷による併用方式です。各価額の折衷割合は，会社の規模により異なります。

折衷価額＝類似業種比準価額×Ａ＋純資産価額×Ｂ

会社の規模と評価方式

会社規模	類似業種比準価額	折 衷 価 額		純資産価額
		類似業種比準価額（A）	純資産価額（B）	
大　会　社	○	—	—	○
中会社の⑤	—	0.90	0.10	○
中会社の⊕	—	0.75	0.25	○
中会社の⑨	—	0.60	0.40	○
小　会　社	—	0.50	0.50	○

　以上のように，「原則的評価方式」は３つの評価方式があり，会社の規模に応じて選択できる評価方式は上図のように異なります。

　大会社の株式の評価においては，類似業種比準価額と純資産価額のいずれかを選択することができ，中会社・小会社の株式の評価においては，折衷価額（会社の規模に応じて折衷割合が異なる）と純資産価額とのいずれかを選択することができます。

④　**特定会社等の株式の評価**

　評価する会社が，以下の特定会社等に該当する場合には，会社の規模にかかわらず，原則として純資産価額により評価しなければなりません（折衷価額も適用できない）。

㈤　土地保有特定会社……総資産中に占める土地保有割合（相続税評価額ベース）が一定割合以上である会社をいいます。

㈻　株式等保有特定会社……総資産中に占める株式等の保有割合（相続税評価額ベース）が一定割合以上である会社をいいます。

㈥　開業後３年未満の会社

㈨　類似業種比準価額の計算において３要素（配当・利益・簿価純資産）すべてがゼロである会社など

(4) 同族株主等以外の株主が取得した株式の評価：特例的評価方式

同族株主等以外の株主が取得した株式については，配当期待権程度の価値しかないものと考え，会社の配当実績に基づいて評価します。これを特例的評価方式（配当還元方式）といいます。

$$評価額 = \frac{その株式1株あたりの直前期末以前2年間の年平均配当金額}{10\%} \times \frac{その株式1株あたりの資本金等の額}{50円}$$

（注1） 配当金額のうち，特別配当，記念配当を除き，年平均配当金額が2円50銭未満の場合または無配でゼロの場合は年平均配当金額を2円50銭として計算します。

（注2） 1株あたりの資本金等の額を50円として換算した金額を用います。

＜具体例＞

資本金等の額：50,000千円，発行済株式総数：10万株，直前期末以前2年間の配当の平均額：10,000千円の場合

$$1株あたりの年平均配当金額 = 10,000千円 \div \frac{50,000千円}{50円} = 10円^{(注)}$$

（注） 2円50銭未満の場合は2円50銭とします。

$$1株あたりの資本金等の額 = \frac{50,000千円}{10万株} = 500円$$

$$配当還元価額 = \frac{10円}{10\%} \times \frac{500円}{50円} = 1,000円／株$$

第5節　その他の財産の評価

1. 預貯金・公社債等

(1) 定期預金，定期郵便貯金等

評価額＝課税時期の預入残高＋（解約時既経過利子－源泉徴収税額）

（注） 既経過利子は解約した場合に適用される利率によって計算します。

(2)　普通預金，通常貯金等

(1)以外の預貯金で既経過利子の金額が少額であるものは，預入残高を評価額とすることができます。

(3)　利付公社債

①　上場されている利付公社債

評価額＝課税時期の最終価格＋（既経過利息－源泉徴収税額）

②　「公社債店頭売買参考統計値」が公表される利付公社債（①を除く）

評価額＝課税時期の平均値＋（既経過利息－源泉徴収税額）

③　①，②以外の利付公社債

評価額＝発行価額＋（既経過利息－源泉徴収税額）

(4)　個人向け国債

個人向け国債は，課税時期において中途換金した場合に取扱金融機関から支払いを受けることができる価額で評価し，具体的には，次の算式により計算した金額によって評価します。

額面金額＋経過利子相当額－中途換金調整額(注)

(注)　中途換金調整額とは，換金手数料に相当するものであり，個人向け国債の種類や発行後の経過年数によって計算方法が異なります。

(5)　証券投資信託

①　日々決算型の証券投資信託（中期国債ファンド，ＭＭＦなど）

$$評価額＝\frac{1口あたり}{の基準価額}×口数＋\left(\begin{array}{c}未収分\\配　金\end{array}-\begin{array}{c}源泉徴収\\税　　額\end{array}\right)-\begin{array}{c}解　　約\\手数料等\end{array}$$

98

②　①以外の証券投資信託

$$評価額 = \begin{array}{c}1口あたり\\の基準価額\end{array} × 口数 - \begin{array}{c}解約した場合の\\源泉徴収税額\end{array} - \begin{array}{c}解\quad約\\手数料等\end{array}$$

(注)　上場されている証券投資信託については上場株式と同様に評価します。

2．年金受給権（定期金に関する権利）

　例えば，生命保険契約等により「死亡保険金」や「満期保険金」を年金形式で受け取る場合があります。このように，年金を一定期間受け取ることができる権利を「年金受給権（定期金に関する権利）」といい，当該権利を取得したときにおいて相続税・贈与税の対象となります。

　年金受給権の評価方法は，受け取る年金の種類に応じてそれぞれ次のように評価します。

(1)　確 定 年 金

　評価額＝次の(イ)～(ハ)の金額のうち最も大きい金額

(イ)　課税時期に解約した場合の「解約返戻金相当額」

(ロ)　定期金に代えて一時金の給付を受けることができる場合には，当該「一時金相当額」

(ハ)　「給付を受けるべき金額の1年あたりの平均額」×「残存期間に応ずる予定利率による複利年金現価率」

(2)　終 身 年 金

　評価額＝次の(イ)～(ハ)の金額のうち最も大きい金額

(イ)　課税時期に解約した場合の「解約返戻金相当額」

(ロ)　定期金に代えて一時金の給付を受けることができる場合には，当該「一時金相当額」

(ハ)　「給付を受けるべき金額の1年あたりの平均額」×「終身定期金に係る定期金給付契約の目的とされた者の平均余命（完全生命表による）に応ずる予定利率による複利年金現価率」

(3) 保証期間付終身年金

　保証期間付終身年金の評価額は，保証期間に基づき計算した確定年金の評価額と，その被保険者の年齢に応じて計算した終身年金としての評価額のいずれか大きい金額となります。

3．生命保険契約に関する権利

　相続が発生したときにおいてまだ保険事故が発生していない生命保険契約で，被相続人（契約者）が負担した保険料に相当する部分の経済価値（解約返戻金を受ける権利）を「生命保険契約に関する権利」といいます（39ページ）。

　この「生命保険契約に関する権利」は，相続発生時に当該契約を解約した場合に受け取ることができる解約返戻金の額によって評価します。

　評価額＝相続発生時に支払われることとなる解約返戻金の額

　(注)　前納保険料の金額，剰余金の分配額等がある場合は，これらを加算し，源泉所得税相当額がある場合にはこれを減算した金額とします。

4．ゴルフ会員権

　ゴルフ会員権は，会員権の種類に応じて次のように評価します。

(1) 取引相場のあるゴルフ会員権

　評価額＝通常の取引価格×70％

　(注)　取引価格に含まれない預託金等がある場合は，預託金等の評価額を加算します。

(2) プレー権のみのゴルフ会員権

　評価しない

5. 一般動産

　一般動産の価額は，原則として1個または1組ごとに評価することになっていますが，家庭用動産，農耕用動産，旅館用動産等については，種類，数量も多く1個または1組ごとに評価するのは煩雑なことから，それぞれ一括して1世帯，1農家，1旅館ごとに評価することが認められています。

(1) 原則

評価額＝売買実例価額，精通者意見価格等

(2) 例外（売買実例価額等が明らかでないとき）

評価額＝新品小売価額－経過年数による減価の額(注)

(注)　減価の額を計算する償却方法は定率法によります。

『第5章』
相続税の申告と納税

第1節　相続税の申告

1．申告書の提出

(1)　提　出　者

　相続税は，申告義務のある人が自ら申告をする申告納税方式です。したがって，相続税の申告書の提出義務があるかどうかは，納税者自身が判断し，申告が必要な場合は，法律で定められた期限（法定申告期限）までに相続税の申告書を提出しなければなりません（ただし，相続税がかかりそうな場合には，たいてい税務署から相続税の申告書が送られてくる）。

　相続税の申告が必要な場合とは，原則として相続税がかかる場合，つまり，相続財産の課税価格が基礎控除（3,000万円＋600万円×法定相続人の数）の金額を超える場合です。

　なお，以下のような相続税の特例を利用した結果，相続税がかからないという場合にも，申告書の提出は必要です。申告書を提出しなければ，これらの特例の適用を受けることができないからです。

　　①　**小規模宅地等の評価減の特例**（77ページ参照）

　　　　被相続人の居住用または事業用の宅地を相続して，小規模宅地等の評価減の特例を適用した結果，課税価格が基礎控除額以下になる場合

　　②　**配偶者の税額軽減の特例**（55ページ参照）

　　　　課税価格は基礎控除額を超えているが，配偶者が財産のすべてを相続し

て「配偶者の税額軽減の特例」の適用を受け，結果，相続税がゼロとなる場合

(2) 提 出 先

　相続税の申告書は，原則として被相続人の死亡時の住所を管轄する税務署に提出します。相続人が複数いる場合には，通常共同で申告書を提出しますが，一人一人提出してもかまいません。被相続人の死亡時の住所地が日本ではない場合は，相続人の住所地が日本国内であれば，その住所地を管轄する税務署に提出します。被相続人，相続人の住所地が共に日本国内にない場合には，相続人が定めた納税地または国税庁長官が定めた納税地，いずれかの納税地を管轄する税務署に提出します。

申告書の提出場所

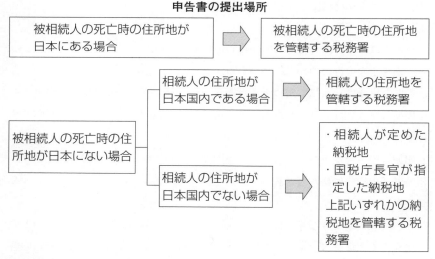

(3) 提 出 期 限

　相続税の申告書の提出期限は，相続の開始があったことを知った日（通常の場合は，被相続人の死亡の日）の翌日から10か月以内です。提出期限の日が土曜日または日曜日・祝日にあたるときは，これらの日の翌日以降の平日が相続税の申告書の提出期限（法定申告期限）となります。

　例えば，相続が発生した日が，202X 年1月21日である場合，法定申告期限

は，202X 年11月21日です。ただし，202X 年11月21日が日曜日であれば，期限
はその翌日に延長されて，202X 年11月22日の月曜日となります。

　また，災害等の特別な理由により，相続税の申告書を法定申告期限までに提
出できない場合には，税務署長等が定めたときまたは納税義務者の申請によ
り，法定申告期限が延長されることがあります。

相続税申告書の提出期限

2．期限内申告と期限後申告

　相続税は申告納税制度ですので，各相続人は，相続開始日の翌日から10か月
以内の申告期限までに正しい申告をして，それに基づいた納税をしなければな
りません。申告書が申告期限までに提出された場合を「期限内申告」といいま
す。これに対して，申告期限を過ぎた後，税務署に指摘される前に自主的に申
告書を提出した場合には，「期限後申告」となります。「期限後申告」となった
場合には，法定申告期限までに納付すべきであった税額に加え，原則として期
限までに申告を行わなかったことに対するペナルティーである，無申告加算税
（原則 5 ％）と利息にあたる延滞税[注]がかかります。

期限後申告の場合に納付すべき税金

（注）　延滞税の計算

　　　延滞税は，国税の全部または一部を法律で定められた納付期限（法定納
　　期限）内に納付しない場合に，その未納税額を課税標準として賦課されま

す。延滞税は未納税額に対して納期限後2か月以内は，「延滞税特例基準割合＋1.0％」と7.3％のいずれか低い割合を乗じて計算し，納期限後2か月超は，「延滞税特例基準割合＋7.3％」と14.6％のいずれか低い割合を乗じて計算した金額です。

延　滞　税　率

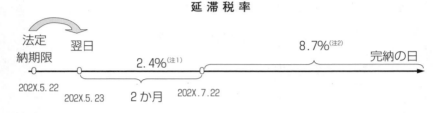

（**注1**）　延滞税特例基準割合1.4％＋1％＜7.3％　∴　2.4％
（**注2**）　延滞税特例基準割合1.4％＋7.3％＜14.6％　∴　8.7％

3．修 正 申 告

　相続財産として計上する財産が少なかった等の理由で，当初の申告額よりも実際に納付すべき相続税が増加する場合には，「修正申告」をします。この修正申告には期限はありません。税務調査があった後に行う修正申告においては，その不足していた本税に加え，納付すべき税金が不足していたことに対するペナルティーとして，過少申告加算税（原則10％）および利息にあたる延滞税が課されます。一方，申告書を提出してから，相続人自身が誤りに気付いて，自ら修正申告書を提出した場合には，過少申告加算税は免除されます。

　なお，財産を仮装し，または隠蔽していたなど，誤りが悪質であると税務署に判断された場合には過少申告加算税に代えて重加算税が課されます。

修正申告の場合に納付すべき税金

| 不足していた相続税額 | ＋ | 過少申告加算税または重加算税 | ＋ | 延滞税 |

4．更正の請求

　前述の「修正申告」に対し，相続税の計算に誤りがあった等の理由で，当初の申告よりも実際に納付すべき相続税額が減少する場合には，「更正の請求」をします。更正の請求は原則として申告期限から 5 年以内に行う必要があります。ただし，未分割として申告をした財産について分割が決まったときなど，特別な場合には 5 年を超えて更正の請求をすることができます。

更正の請求事由と期限

請　求　事　由	提 出 期 限
原　　則	申告期限から 5 年以内

特　　例	
①　未分割財産が，共同相続人または包括受遺者により分割されたこと	左の事由が生じたことを知った日の翌日から 4 か月以内
②　認知，相続人の廃除またはその取消しに関する裁判の確定，相続の回復，相続の放棄の取消し等により相続人に異動が生じたこと	
③　遺留分侵害額の請求に基づき支払うべき，金銭の額が確定したこと	
④　遺贈に係る遺言書が発見され，または遺贈の放棄があったこと	
⑤　特別寄与者が支払いを受けるべき特別寄与料の金額が確定したこと	

5．未分割で申告をする場合

　被相続人に遺言書がない場合，相続人間で遺産分割協議を行って各人が相続する財産を決めます。しかし，相続人間の話し合いがうまくまとまらず，法定申告期限内に相続財産を分割できない場合には，分割が決まらない財産（未分割の財産）については，各相続人が民法の規定による法定相続分に従って財産を取得したとみなして相続税額を計算し，申告および納税をします。その後，遺産分割が整ったときに，遺産分割に従った申告書を改めて提出し，納税額に差額がある場合には修正申告や更正の請求を行います。

(1) 法定申告期限時の申告

　例えば，申告書の提出期限までに，分割が決まらない財産が3億円あり，その財産にかかる相続税額が5,460万円であるとします。法定相続人が子供3人である場合，相続人3人は未分割の財産を法定相続割合（3分の1ずつ1億円）で取得したと仮定して，相続税も3分の1ずつの1,820万円をそれぞれが納付します。

法定申告期限時の申告

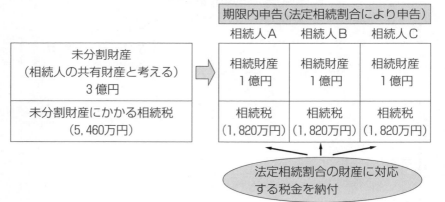

(2) 遺産分割成立後の申告

　その後，未分割であった財産について遺産分割が成立した際，実際の財産取得割合に相当する相続税額を求め，実際の財産取得割合が当初申告した法定相

続割合と異なる場合には修正申告または更正の請求を行います。例えば，未分
割の相続財産について，遺産分割が以下のように成立した場合，相続人Aは修
正申告，相続人Bは更正の請求を行います。相続人Cは取得した財産が当初申
告と同額ですので，これらの手続きは不要です。

遺産分割成立後の申告

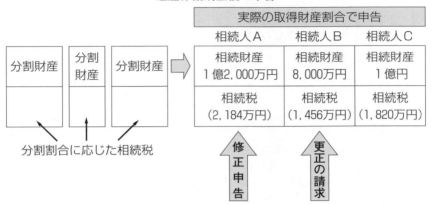

① **相 続 人 A**

　　未分割財産に対する相続人Aの法定相続分は1億円であるため，当初1
　億円の相続財産に対する相続税1,820万円を納税しました。その後遺産分
　割が成立し，Aが取得する財産は1億2,000万円と決まり，納付すべき税
　額は2,184万円となりました。したがって，当初納付した税額が，納付す
　べき税額よりも少ないため，修正申告を行い差額の364万円を追加で納付
　します。

② **相 続 人 B**

　　相続人Aと同様，相続人Bも当初1億円の相続財産に対する相続税
　1,820万円を納税しました。その後遺産分割が成立し，Bが取得する財産
　は8,000万円と決まり，納付すべき税額は1,456万円となりました。した
　がって，当初納付した税額が，納付すべき税額よりも多かったため，更正
　の請求を行い差額364万円の還付請求をします。

6. 税 務 調 査

　税務調査とは，相続税の申告内容の正否を確認するために国税局や税務署の調査官が行うもので，適正かつ公平な課税の実現を目的として行われます。申告書を提出した人すべてに税務調査が行われるのではなく，相続財産の内容や金額により調査の有無を判断しているようです。税務調査では，被相続人宅（または相続人宅）を調査官が訪問し，被相続人の生前の趣味や職業，生活状況や預金の管理，出し入れの状況等の聞き取り調査をし，申告内容の適否を判断します。

　税務調査において，重点的に調べられる内容は主に以下のとおりです。

税務調査の内容

調査内容	確　認　事　項
預貯金・有価証券等の調査	・無記名債券の申告もれはないか ・家族名義の有価証券の申告もれはないか ・出資金・未上場株式の申告もれはないか ・配当金の支払通知が来ている銘柄はすべて申告しているか ・タンス株券の申告もれはないか ・家族名義の預貯金の申告もれはないか ・郵便貯金（特に証書形式）の申告もれはないか ・相続開始直前の預貯金等の引き出しで現金としての申告もれはないか ・海外に財産はないか
不動産の調査	・先代名義の不動産の申告もれはないか ・共有不動産の申告もれはないか ・別荘など，遠方不動産の申告もれはないか ・借地に建物を建てている場合，借地権の申告もれはないか ・小規模宅地等の評価減の特例の適用が適正か
その他の調査	・共有名義の賃貸物件の収入・経費が混在していないか ・同族法人への貸付金・未収入金等の申告もれはないか ・契約者が相続人である保険のうち，保険料を被相続人が負担していた保険はないか ・高級車やゴルフ会員権の申告もれはないか ・相続開始前3年以内の相続人への贈与の申告もれはないか ・自宅の金庫，貸金庫の中身のチェック

７．更正等の期間制限と徴収権の消滅

(1) 更正等の期間制限

　税務調査を行う期間には制限があります。税務当局は次に掲げる区分に応じ，法定申告期限からそれぞれに定められた年数を経過した日以後においては，税務調査による更正や決定を行うことができません。

更正等の期間制限

内　　　容	除斥期間
納税申告書を法定申告期限内に提出した者に対する更正	5 年
① 納税申告書を提出すべき納税者が申告書を提出しない場合 ② 納付すべき税額を減少させる更正	5 年
偽りその他不正行為により，税額の全部もしくは一部を免れ，または還付を受けた場合の更正決定等	7 年
贈与税についての更正決定等	6 年

(2) 徴収権の消滅

　国税の徴収権は，法定納期限から 5 年を経過すれば消滅します。この期間をすぎると，たとえ税務調査などによっても税金の徴収はできないこととされています。ただし，納税者が財産の仮装や隠ぺいをした場合には，その期間が 7 年となります。

第 2 節　相続税の納付

１．納 付 方 法

(1) 原　　　則

　相続税の納付期限は申告書の提出期限と同じ，つまり，相続の開始があったことを知った日の翌日から10か月以内です。相続税の納税は金銭での一括納付が原則です。

(2) 特　　　例

　相続した財産の大部分が不動産であるなど，相続税を金銭で一括納付するこ

とが困難な場合には，納付方法の特例として，相続税を分割で支払う「延納」
という方法が認められています。また，延納によっても納付が困難と認められ
たときには，その納付が困難な金額を限度として，相続した財産そのもので納
付する「物納」も認められています。

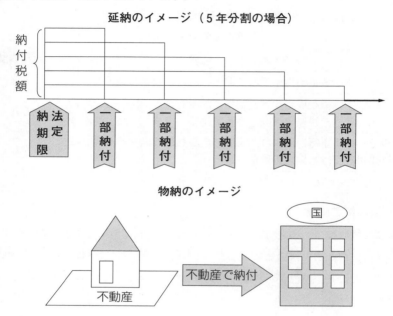

延納のイメージ（5年分割の場合）

納付税額

| 法定納期限 | 一部納付 | 一部納付 | 一部納付 | 一部納付 | 一部納付 |

物納のイメージ

不動産　→　不動産で納付　→　国

　ただし，相続税の納付の原則はあくまで金銭一括納付ですから，延納や物納が認められるためには，以下のフローチャートで示したように，「相続財産中に金銭がない」などの要件に該当する必要があります。なお，延納や物納が認められるかどうかは各相続人ごとに，個別に判断されます。

　納付期限までに金銭で一括納付せず，延納や物納の申請も行っていない場合には，申告期限の翌日より2か月以内は「延滞税特例基準割合＋1.0％」と7.3％のいずれか低い割合，納期限後2か月超は，「延滞税特例基準割合＋7.3％」と14.6％のいずれか低い割合の延滞税が課されます。

納付方法のフローチャート

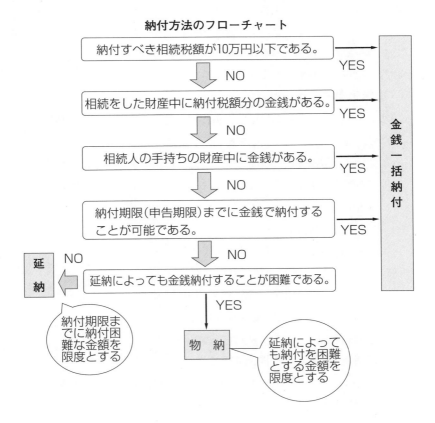

2. 延　　納

(1)　延納の要件

　相続税を金銭で一括納付することができない場合，次の要件をすべて満たしているときは一括納付が困難な金額について延納をすることができます。

①　相続税額が10万円を超えること

　　期限内申告の税額，期限後申告や修正申告，または更正や決定により納付する税額のそれぞれについて個別に判断します。

②　金銭で一括納付することが困難であること

　　相続税を金銭で一括納付することが困難であるかどうかは，相続税を納付すべき日において，延納を申請する相続人がどのような相続財産を取得したか，および相続人自身の財産の所有状況，近い将来の収入や支出を総合的に勘案して判断されます。

③　担保を提供すること

　　延納の申請をする場合には，延納税額に見合う担保の提供が必要です。ただし，延納税額が100万円以下である場合，かつ延納期間が3年以下である場合には担保提供は不要です。また，担保とする財産は，相続財産や納税者の固有財産でなくてもかまいませんが，以下のような財産に限定されています。

　(イ)　国債および地方債

　(ロ)　社債その他の有価証券で税務署長が認めたもの

　(ハ)　土　　　地

　(ニ)　建物，立木，船舶などで保険に付したもの

　(ホ)　鉄道財団，工場財団，鉱業財団など

　(ヘ)　税務署長が確実と認める保証人の保証

④　申請書を期限までに提出すること

　　延納をしようとする場合には，相続税の納期限までに所定の事項を記載した延納申請書に担保提供に関する書類を添えて提出しなければなりません。

(2)　延納期間と利子税

　延納期間は原則として5年以内であり，延納期間中は利子税がかかります。延納期間および利子税率は不動産等の価額が相続税の課税価格に占める割合に応じて下記の表のように定められています。この場合の「不動産等」とは，土地（借地権を含む），建物，立木，事業用の減価償却資産，一定の未上場株式をいいます。相続した財産の合計価額に対してこれら不動産等の価額の割合が多いほど延納の期間が長く認められ，また利子税率が低く設定されています。

　利子税率には原則と特例があり，平成12年1月1日以後の期間については，特例の利子税率が課されます。特例の税率は，「原則の利子税×延納特例基準割合÷7.3％」で計算します。なお，延納特例基準割合は，平成25年12月31日までは，「各分納期間の開始日の属する月の2か月前の月の末日を経過する時の日本銀行が定める基準割引率に4％を加算した割合」とされていました。平成26年1月1日から令和2年12月31日までは「各分納期間の開始の日の属する年の前々年の10月から前年の9月までの各月における銀行の新規の短期貸出約定平均金利の合計を12で除して得た割合として各年の前年の12月15日までに財務大臣が告示する割合に，年1％の割合を加算した割合」とされ，令和3年1月1日以降は「各分納期間の開始日の属する年の前々年の9月から前年の8月までの各月における銀行の新規の短期貸出約定平均金利の合計を12で除して得た割合として各年の前年の11月30日までに財務大臣が告示する割合に年0.5％の割合を加算した割合」となります。

(3)　延納税額の納付方法

　延納が認められた場合には，元金である相続税額を延納年数で割った金額と，これにかかる利子税を，年1回支払います。不動産等の価額の割合が50％以上の場合，延納する税額には，不動産等の価額に対応する税額とその他の財産の価額に対応する税額があり，それぞれ延納期間や利子税率が異なりますので，その異なる税額ごとに区分してそれぞれの均等払い金額（分納税額）および利子税額を計算し，その合計額を納付します。

　なお，延納相続税額を延納年数で割った金額に，1,000円未満の端数がある

114

場合には，その端数はすべて第1回目に納付すべき税額に合算して計算します。

延納期間および利子税

不動産等の価額の割合	区　分		延納期間（最高）	延納利子税割合（年割合）	特例割合（年割合）
75%以上	①	動産等に係る延納相続税額	10年	5.4%	0.6%
	②	不動産等に係る延納相続税額（③を除く）	20年	3.6%	0.4%
	③	森林計画立木の割合が20%以上の森林計画立木に係る延納相続税額	20年	1.2%	0.1%
50%以上75%未満	④	動産等に係る延納相続税額	10年	5.4%	0.6%
	⑤	不動産等に係る延納相続税額（⑥を除く）	15年	3.6%	0.4%
	⑥	森林計画立木の割合が20%以上の森林計画立木に係る延納相続税額	20年	1.2%	0.1%
50%未満	⑦	一般の延納相続税額（⑧，⑨および⑩を除く）	5年	6.0%	0.7%
	⑧	立木の割合が30%を超える場合の立木に係る延納相続税額（⑩を除く）	5年	4.8%	0.5%
	⑨	特別緑地保全地区内の土地に係る延納相続税額	5年	4.2%	0.5%
	⑩	森林計画立木の割合が20%以上の森林計画立木に係る延納相続税額	5年	1.2%	0.1%

（国税庁ホームページより）

（注1） 延納特例基準割合が0.9%の場合を前提としています。

（注2） 不動産等の価額の割合＝ $\dfrac{不動産等の財産の価額合計額}{課税相続財産の価額}$

（小数点3位未満切上げ）

延納時の納付税額および利子税の計算例

〔前提〕　延納をする税額の合計額　　　3,000万円
　　　　　不動産等の価額の割合　　　　75%
　　　　　不動産等の価額に対応する税額の延納期間20年　利子税率年0.4%
　　　　　その他の財産に対応する税額の延納期間10年　　利子税率年0.6%

単位（万円）

期　　間	不動産等に係る税額①	その他の財産に係る税額②	分納税額合計③（①+②）	利子税④	合　　計
第1回	112.50	75.00	187.50	13.50	201.00
第2回	112.50	75.00	187.50	12.59	200.09
第3回	112.50	75.00	187.50	11.70	199.20
第4回～第8回省略					
第9回	112.50	75.00	187.50	6.30	193.80
第10回	112.50	75.00	187.50	5.39	192.89
第11回	112.50		112.50	4.50	117.00
第12回	112.50		112.50	4.04	116.54
第13回	112.50		112.50	3.60	116.10
第14回	112.50		112.50	3.14	115.64
第15回	112.50		112.50	2.70	115.20
第16回	112.50		112.50	2.24	114.74
第17回	112.50		112.50	1.80	114.30
第18回	112.50		112.50	1.34	113.84
第19回	112.50		112.50	0.90	113.40
第20回	112.50		112.50	0.44	112.94
計	2,250.00	750.00	3,000.00	119.15	3,119.15

```
┌┄<第1回目　分納税額および利子税額の計算>┄┄┄┄┄┄┄┄┄┐
┊ ①　不動産に係る分納税額　　3,000万円×75%＝2,250万円   ┊
┊　　　　　　　　　　　　　　2,250万円÷20年＝112.5万円   ┊
┊ ②　動産等に係る分納税額　　3,000万円×25%＝750万円     ┊
┊　　　　　　　　　　　　　　750万円÷10年＝75万円        ┊
┊ ③　合　計　　　　　　　　112.5万円＋75万円＝187.5万円 ┊
┊ ④　利子税　　不動産等に係る利子税（2,250万円×0.4%）   ┊
┊　　　　　　＋動産等に係る利子税（750万円×0.6%）＝13.50万円 ┊
┊ 支払額の合計額　　　　　　187.5万円＋13.50万円＝201.00万円 ┊
└┄┄┄┄┄┄┄┄┄┄┄┄┄┄┄┄┄┄┄┄┄┄┄┄┄┄┄┄┄┄┄┘
```

```
┌┄<第2回目　分納税額および利子税額の計算>┄┄┄┄┄┄┄┄┄┐
┊ ①・②・③　第1回目の金額と同じ ┌下線数字…すでに支払った分納税額┐ ┊
┊　　　　　　　　　　　　　　　　　　　（注）万円未満切捨て       ┊
┊ ④　利子税　　不動産等に係る利子税（2,250万円－112.5万円）(注)×0.4% ┊
┊　　　　　　＋動産等に係る利子税（750万円－75万円）×0.6%＝12.59万円 ┊
┊ 支払額の合計額　　　　　　187.5万円＋12.59万円＝200.09万円 ┊
└┄┄┄┄┄┄┄┄┄┄┄┄┄┄┄┄┄┄┄┄┄┄┄┄┄┄┄┄┄┄┄┘
```

3．物　　　納

(1)　物納の要件

　相続税を一括で金銭納付することはもちろん，延納によっても金銭で納付することができない場合に限り，その納付が困難である金額を限度として相続財産そのもので納付する物納が認められます。物納制度は相続税だけに認められている制度ですので，他の税目にはありません。物納が認められるためには，以下の要件をすべて満たすことが必要です。

①　相続税を金銭で一括納付することが困難であり，かつ延納によっても金銭で納付することを困難とする事由のあること

　　　「金銭で納付することを困難とする事由」および「延納によっても納付することが困難とする事由」があるかどうかについては，延納の要件と同

様，物納を申請する相続人が相続した財産の中身や相続人自身の財産の所有状況，近い将来の収入・支出状況を総合的に勘案して判定されます。近い将来の金銭収入とは，貸付金の返済，退職金の給付や財産売却収入等をいいます。例えば，相続した財産のほとんどが不動産で，相続人自身の財産状況からみても金銭に余裕がない場合，「金銭納付困難の事由」には該当しますが，相続した不動産の中にアパートのような収益物件があり，その収益によって，延納による相続税の納付が可能と判断された場合には，物納は認められないことも考えられます。

② **物納する財産は，相続により取得した財産等であること**

相続人自身が以前から持っていた財産で物納することはできません。

③ **物納する財産は，国が管理または処分するのに適したものであること**

④ **物納申請書を期限までに提出すること**

物納をしようとする場合には，相続税の納期限までに所定の事項を記載した物納申請書に，その物納しようとする財産の種類に応じて必要な書類を添付して提出しなければなりません。

(2) 物納ができる財産

物納できる財産は，物納申請をする相続人が，相続により取得した財産のうち，国内にある以下の財産に限られます。また，物納に充てることができる財産が2種類以上ある場合には，どの財産から物納するかという，物納の順位も以下のように定められています。

例えば，相続財産の中に不動産と非上場株式がある場合には，非上場株式を物納することはできず，まず不動産を納付すべきこととなります。

物納財産の順位

第1順位	国債および地方債，不動産および船舶，株式・社債・証券投資信託等の受益証券・投資証券のうち上場されているもの
第2順位	株式・社債・証券投資信託等の受益証券・投資証券のうち第1順位に掲げる以外のものまたは貸付信託の受益証券
第3順位	動　産

(3) 物納ができない財産

国は，物納された財産を未来永劫保有するのではなく，その財産から収入を得たり，将来売却して金銭に換えることにより相続税の税収とします。ですから，外国にある土地のように，国が管理や処分をするのに困難な財産は物納できません（管理処分不適格財産）。また他に物納に適した財産がない場合に限り物納が認められる財産（物納劣後財産）も法律で定められており，管理処分不適格財産，物納劣後財産の具体例は以下のとおりです。

管理処分不適格財産・物納劣後財産

管理処分不適格財産の具体例	物納劣後財産の具体例
・国が完全な所有権を取得できない財産 ⇒抵当権付の不動産，所有権の帰属が係争中の財産など	・法令の規定に違反して建築した建物およびその敷地
	・地上権，永小作権その他の用益権の設定されている土地
・境界が特定できない財産，借地契約の効力の及ぶ範囲が特定できない財産等 ⇒境界線が明確でない土地（ただし，山林は原則として測量不要），借地権の及ぶ範囲が不明確な貸地など	・接道条件を充足していない土地
	・都市計画法に基づく開発許可が得られない道路条件の土地
・通常，他の財産と一体で管理処分される財産で，単独で処分することが不適当なもの ⇒共有財産，稼動工場の一部など	・法令・条例の規定により，物納申請地の大部分に建築制限が課される土地
	・維持または管理に特殊技能を要する劇場，工場，浴場その他の建築物およびその敷地
・物納財産に債務が付随することにより負担が国に移転することとなる財産等 ⇒敷金等の債務を国が負担しなければならなくなる貸地，貸家等 ⇒生産緑地の指定を受けている農地	・土地区画整理事業の施行地内にある土地で，仮換地が指定されていないもの

・争訟事件となる蓋然性が高い財産 ⇒越境している建物，契約内容が貸主に著しく不利な貸地など	・市街化区域以外の区域にある土地 （宅地として造成できるものを除く）
・法令等により譲渡にあたり特定の手続きが求められる財産で，その手続きが行われないもの ⇒金融商品取引法上の所要の手続きが取られていない株式，定款に譲渡制限がある株式など	・忌み地
	・相続人が居住または事業の用に供している家屋および土地 ・配偶者居住権の目的となっている建物およびその敷地
	・休眠会社の株式
・地上権，賃借権その他の権利が設定されている不動産で，暴力団員等がその権利を有しているもの ・暴力団員等が役員となっている法人等の発行した株式	

(4)　物納財産の収納価額

　物納財産は，原則として，相続税の課税価格の計算の基礎となった相続税評価額により国が引き取ります。この引取価額を収納価額といいます。したがって，小規模宅地等の評価減の特例(77ページ参照)を受けた土地を物納する場合には，特例適用後の評価額が収納価額となります。ただし，物納財産を収納するときまでに，著しい状況の変化があった場合には，収納価額の改訂が行われます。また，土地の評価に誤りがあったこと等により，物納に充てた財産の価額が変更になった場合には，変更後の価額が収納価額になります。

(5)　物納の許可と却下，取下げ

　物納申請があった場合に，税務署は，必要な書類が提出されているかどうか，その物件が物納要件に合致するかどうかを調査します。特に不動産に関しては，税務署だけではなく，物納財産の実際の管理を行う財務局の現地調査があり，原則として物納を申請した相続人立会いのもと，その不動産が物納財産として適しているかどうかの調査が行われます。

　調査の結果，例えば，隣地との境界が不明確であるなどの不備がある場合に

は，一定の期限までに不備をなくすように税務署から指示があります。その指示を受けて不備をなくし，最終的に税務署が物納に適した財産であることを認めた場合には，物納が許可され，「物納許可通知書」が相続人のもとに送付されます。以上の手続きは，原則として，物納申請書を提出してから３か月以内に行われますが，納税者側の書類の提出が間に合わなかったり，税務署から指摘された不備な点を期限までになくせない場合には，それぞれ最長１年間（ただし，１回の届出で延長できる期間は最長３か月まで）延長を求めることができます。納税者の都合で延長を求めている間は，相続税について一定の利子税がかかります。

この場合の利子税の計算方法は以下のとおりです。

$$利子税の額 ＝ \frac{納付すべき相続税の額 × 利子税の割合^{(注)} × 期間（日数）}{365}$$

（注） 利子税の割合は年7.3％と特例基準割合のいずれか低い割合です。

一方，指摘された不備な点がどうしても解決できず，物納財産に適していないとみなされた場合には，物納が却下され，「物納却下通知書」が送付されます。また，後日，汚染地であったことが判明した場合には必要な措置を講ずること等の条件付で，物納が許可されることもあり，この場合，当該条件について５年以内に違反した場合には，物納の許可が取り消される可能性があります。

その他に，物納申請をしていた財産が有利な価額で売却できることとなった場合等により，相続人自ら物納を取りやめたいと思った場合には，物納申請が許可される以前であれば，いつでも物納を取り下げることが可能です。

このように，物納の却下，取下げがあった場合には，物納にかかる相続税をただちに納付する必要があります。また，その際には相続税の法定納期限の翌日から納付までの期間について利子税がかかります。

物納手続のフローチャート

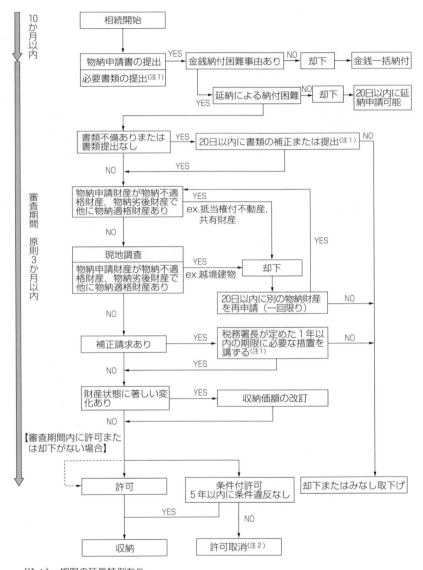

（注1）　期限の延長特例あり
（注2）　一定の場合は更正の請求可能

(6) 物納のメリット

上述したように，物納をするためにはさまざまな要件がありますが，これらの要件をクリアして物納が認められれば，相続のタイミングで不要な財産を金銭の代わりに相続税の納付に充てることができます。

以下，物納のメリットをあげてみます。

① 「物納財産の評価額＞実勢価格」の場合には，売却による現金納付よりも有利

現金化が容易ではない資産，例えば貸宅地や非上場会社の株式なども条件が整えば物納可能ですから，物納により相続税評価額で処分することができます。また土地は，実勢価格の下落に対して相続税評価額が高止まりしている場合も多く見受けられます。そのような場合，物納は，遊休不動産・低収益不動産を実勢価格よりも高く処分できる機会となります。

② 売却と異なり，物納による相続税納付分は譲渡所得税が課されない

通常，財産を売却した場合は，譲渡益に税金が課せられます。しかし，物納は国に対する譲渡なので，譲渡所得税がかからず原則として無税で処分できます（相続税額を超過する価額の財産を物納した場合には，その超過した部分には課税される）。外部に売却して，税金を支払ってから残りのお金を相続税の納税に充てるより，有利になることがあります。

ただし，相続により取得した財産を，相続開始の日から相続税の申告期限の翌日以後3年以内に売却した場合には，譲渡所得税の特例として，「相続税の取得費加算の特例」を受けることができます。この制度を使うと，譲渡所得税が軽減され，場合によってはゼロになることもありますので，この制度の活用も考慮したうえで物納が有利か，売却が有利かの判断をする必要があります。

物納か売却して納税か

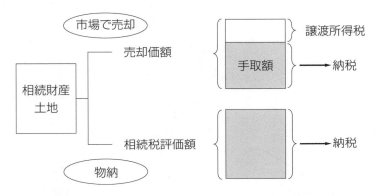

③　物納制度を上手に利用し，相続人全体でより多くの流動資産を残すことができる

　例えば，相続財産が現金預金，有価証券，および不要な不動産で構成されている場合には，遺産分割の際になるべく配偶者が現金預金や有価証券を取得します。そして，その他の相続人が不要な不動産を取得して，不動産を物納に充てれば，ファミリー全体では相続税納付後も現金預金，有価証券等の流動資産を手元に多く残すことができます（ただし，相続人自身が相続前から金融資産等を多く保有している場合には，物納が認められないケースもあるので注意が必要）。

物納制度の利用法

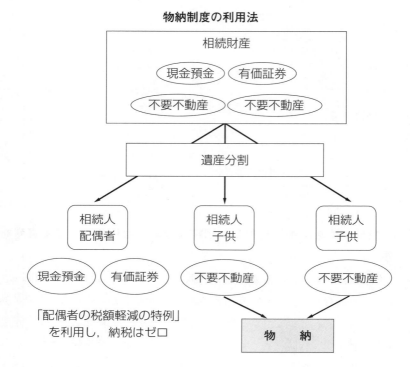

(7) 物納のための準備

　不動産の物納制度には，さまざまな要件があります。これらの要件をクリア
するためには，相続が発生してから準備したのでは間に合わないことがありま
す。そのためにも，万一の事が起こったときのために，あらかじめ相続税の試
算を行い，保有する不動産について，どの不動産が物納に適格かどうかを考
え，また物納した方が有利な不動産とそうでない不動産の色分けをして，物納
のための整備を行うなど，事前の準備を早めに始めるとよいでしょう。

4．納付方法の変更

　相続税の納税に延納を申請した場合，延納中において，延納を取りやめて金
銭一括納付に変更することができます。その際，全額ではなく，一部を繰上納

付することもできます。

　なお，申告期限から10年以内に限り，納税者の資力の状況の変化等により延納による納付が困難となった場合には，延納から物納への切り替えが認められます。

延納から金銭一括納付へ

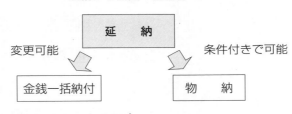

相続税申告までの流れ

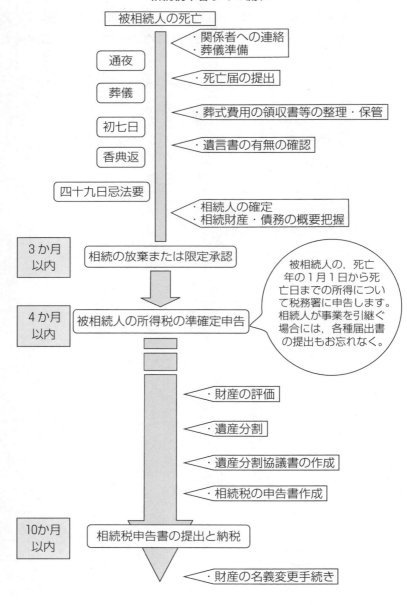

被相続人の死亡

・関係者への連絡
・葬儀準備

通夜

・死亡届の提出

葬儀

・葬式費用の領収書等の整理・保管

初七日

・遺言書の有無の確認

香典返

四十九日忌法要

・相続人の確定
・相続財産・債務の概要把握

3か月
以内

相続の放棄または限定承認

被相続人の，死亡年の1月1日から死亡日までの所得について税務署に申告します。相続人が事業を引継ぐ場合には，各種届出書の提出もお忘れなく。

4か月
以内

被相続人の所得税の準確定申告

・財産の評価

・遺産分割

・遺産分割協議書の作成

・相続税の申告書作成

10か月
以内

相続税申告書の提出と納税

・財産の名義変更手続き

『第6章』

贈与税の計算と仕組み

第1節　贈 与 と は

　贈与とは，一般的には他人に物品を贈り与えることをいいますが，法律的には「当事者の一方（贈与者）が，自己の財産を無償で相手方（受贈者）に与える意思を表示し，相手方が受諾することで効力が生じる契約」をいいます。

　したがって，贈与者の「あげます」という意思と受贈者の「もらいます」という意思が合致したとき「贈与」が成立することになります。

　なお，個人間において，財産の時価と比べ，著しく低い価額で譲渡が行われたり，債務の免除や引受けなどによって利益を受けた場合には，贈与があったものとみなして贈与税がかかります。

第2節　贈与に伴う課税関係

　贈与税を払うべき人は，財産の贈与を受けた個人です。もし，贈与をした人が贈与税を払ったとしたら，その贈与税分の金額も受贈者に対して贈与したこ

128

とになります。

　贈与税は，個人が個人からの贈与により財産を取得した場合にかかる税金です。会社が財産の贈与を受けた場合は，贈与税ではなく，法人税を払うことになります。さらに，個人が会社から財産の贈与を受けた場合，その個人は，贈与税ではなく，所得税を払うことになります。

課税関係のまとめ

贈 与 者	受 贈 者	受贈者にかかる税金
個人	個人	贈与税
個人・会社	会社	法人税
会社	個人	所得税

第3節　贈与による財産の取得時期

　「いつ，贈与により財産を取得したのか」が，贈与税の申告においては重要なポイントです。なぜなら，贈与税は，その年の1月1日から12月31日までの間に贈与により取得した財産の価額の合計額を基礎として計算されるからです。

　贈与による財産の取得時期は，次のようになっています。

(1)　書面による贈与

　贈与契約書などの書面が作成された場合は，下記(3)に該当する場合を除き，その契約を締結したとき

(2)　口頭による贈与

　財産の引渡しが実際に行われたとき

(3)　停止条件付贈与

　例えば，「大学に合格したら車を買ってあげる」のケースのように，条件が成就したときに贈与することになっている場合は，その条件が成就したとき

(4)　農地等の贈与

　農地や採草放牧地の贈与については，農地法の規定による許可があった日ま

たは届出の効力が生じた日

(5) 贈与の時期が不明な不動産や有価証券の贈与

贈与時期が不明な場合は，不動産については登記が行われたとき，有価証券については名義変更が行われたとき

取得時期のまとめ

原則	書面による贈与	契約締結時
	口頭による贈与	引渡し時
	停止条件付贈与	条件成就時
	農地等の贈与	許可日または届出効力発生時
特例	贈与時期不明	登記日または名義変更時

第4節 贈与税の対象となる財産

1．課税財産の範囲

贈与税の対象となる財産は，贈与時における贈与者・受贈者の住所が日本にあるかどうか，日本国籍かどうかなどによって，日本国内にある財産だけが対象になる場合と外国にある財産も対象になる場合とがあります。

平成29年度の税制改正により，一時居住者に対する課税の緩和と租税回避のため国外に移住した日本人への課税の強化が行われました。平成29年4月1日以降は，贈与時における贈与者の住所が日本にある場合でも，一時居住者については日本にある財産だけが課税対象となりました。また，贈与者・受贈者がともに日本人である場合には，両者とも10年を超えて外国に居住していなければ外国にある財産も課税対象となりました。

平成30年度の税制改正では，非居住贈与者の範囲が拡大され，平成29年度の税制改正により新たに全世界課税の対象となった一定の外国人について，外国にある財産を課税財産の範囲から除く改正が行われ，平成30年4月1日以降は，外国人が出国後に行った贈与については，原則として外国にある財産は課

税財産には含まれなくなりました。

　令和3年度の税制改正では，海外人材の更なる日本での就労等を促進するため，令和3年4月1日以降は，一定の在留資格を有している外国人が10年超の期間日本に住んでいたとしても外国にある財産を贈与した場合には日本では課税されないようになりました。

課税財産範囲のまとめ（令和3年4月1日以降）

贈与者 ＼ 受贈者	贈与時に日本に住所あり		贈与時に日本に住所なし		
			日本国籍あり		日本国籍なし
	一時居住者でない個人	一時居住者(注1)	贈与前10年以内に日本に住所がある個人	左記以外	
贈与時に日本に住所あり　外国人贈与者(注2)	全世界課税	日本国内財産のみ	全世界課税	日本国内財産のみ	
贈与時に日本に住所なし　贈与前10年以内に日本に住所がある個人	全世界課税		全世界課税		
外国人 非居住贈与者(注3)	全世界課税	日本国内財産のみ	全世界課税	日本国内財産のみ	
贈与前10年以内に日本に住所がない個人 非居住贈与者(注3)	全世界課税	日本国内財産のみ	全世界課税	日本国内財産のみ	

　　　　■：全世界課税
　　　　□：日本国内財産のみ課税

（注1）　一時居住者とは，贈与時において在留資格を有し，かつ，贈与前15年以内において，日本に住所を有していた期間の合計が10年以下の個人です。

（注2）　外国人贈与者とは，贈与時において在留資格を有し，かつ，日本に住所を有していた贈与者です。

（注3）　非居住贈与者とは，贈与時において日本に住所を有していなかった贈与者で，贈与前10年以内において日本に住所を有していたことがある外国人または贈与前10年以内のいずれの時においても日本に住所を有していたことがない贈与者です。

２．本来の贈与財産

　贈与により取得した不動産，預貯金，現金，株式，債権，営業権など金銭で見積もることができる経済的価値のあるものすべてが「本来の贈与財産」として贈与税の対象となります。

　また，次の場合も，原則として本来の贈与財産となります。

① 　対価の授受なく不動産や株式等の名義変更をした場合

② 　お金を出した人以外の人の名義で新たに不動産，株式等を取得した場合

③ 　共有していた財産の共有者の１人がその持分を放棄（相続放棄を除く）した場合

④ 　負担付贈与があった場合において，その負担が第三者の利益になる場合

＜負担付贈与の具体例＞

　父は，長男が次男に現金1,000万円を渡すことを条件に，長男に時価5,000万円の不動産を贈与した。

① 　**父から長男への贈与**

　　5,000万円－1,000万円＝4,000万円

② 　**父から次男への贈与**（この次男の利益が，第三者の利益ということ）

　　1,000万円

３．みなし贈与財産

　本来の贈与財産にあたらない場合であっても，実質的に贈与により取得したのと同じ経済的効果があるものについては，相続税法により，「みなし贈与財産」として贈与税の対象となります。みなし贈与財産には，次のようなものがあります。

(1)　生命保険金

　満期保険金や死亡保険金を取得した場合において，保険料負担者と保険金受取人が異なるときは，

・ 　保険金受取人が

132

- ・　保険料負担者から
- ・　保険金を

贈与により取得したものとみなされます。ただし，この保険金が相続により取
得したものとみなされた場合は，贈与税は課税されません。

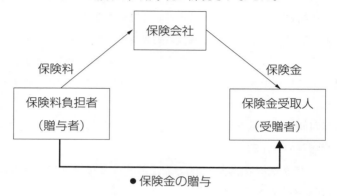

●保険金の贈与

(2) 定　期　金

　個人年金保険などの定期金給付が始まった場合において，掛金負担者と年金
受取人が異なるときは，

- ・　年金受取人が
- ・　掛金負担者から
- ・　年金受給権を

贈与により取得したものとみなされます。

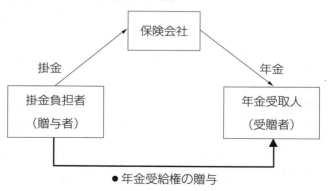

●年金受給権の贈与

⑶　低額譲受け

　時価よりも著しく低い対価で財産の譲渡を受けた場合には，

- ・　譲り受けた者が
- ・　譲り渡した者から
- ・　時価と対価との差額を

贈与により取得したものとみなされます。

　例えば，時価100万円の財産を40万円の対価で譲り受けた場合には，時価と対価との差額60万円を，その財産の取得者が譲渡した者から贈与により取得したものとみなされます。

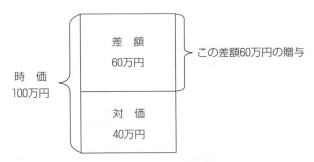

　　　(注)　ただし，財産を譲り受けた者が資力を喪失しているなど一定の条件を満たしている場合には，贈与税は課税されません。

⑷　債務免除等

　借入金等の債務を負う者がその債務を免除または肩代わりしてもらった場合には，

- ・　その債務者が
- ・　債務の免除や肩代わりした者から
- ・　その免除等により受けた利益を

贈与により取得したものとみなされます。

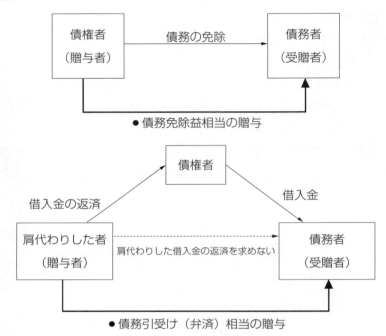

(注) ただし，債務の免除等を受けた者が資力を喪失しているなど一定の条件を満たしている場合には，贈与税は課税されません。

(5) その他の経済的利益

上記(1)から(4)に該当する場合のほか，対価を支払わないでまたは著しく低い価額で利益を受けた場合には，

・ その利益を受けた者が

・ その利益を受けさせた者から

・ 利益の価額に相当する金額を

贈与により取得したものとみなされます。

例えば，同族会社の株式の価額が，その会社に対する財産の贈与や低額譲渡，債務の免除等により増加したときは，

・ その会社の株主が

・ その会社へ財産の贈与等をした者から

　　・　増加した株式の価額に相当する金額を

贈与により取得したものとみなされます。

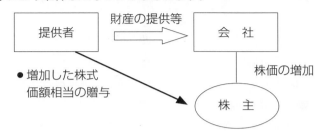

　　(注)　ただし，利益を受けた者が資力を喪失しているなど一定の条件を満たしてい
　　　　る場合には，贈与税は課税されません。

(6)　信託に関する権利

　　信託とは，「委託者」が自分の財産を「受託者」に預け，「受託者」はその財産を信託契約などに基づいて管理・処分し獲得した利益を「受益者」に分配する仕組みです。平成18年12月に新信託法が制定され，平成19年９月30日に施行されました。新信託法において，新たに，受益者の定めのない信託や受益者連続型信託など，信託の類型に規定が設けられました。税法においても，平成19年度税制改正にて信託税制が整備されました。

　　平成19年９月30日以後に効力が生じる信託については，「信託の効力発生時」や「信託期間中」，「信託の終了時」などにおいて，税法が整備されています。

　　ここでは，効力発生時の基本的な例をあげて説明します。

　　信託の効力が生じた場合において，適正な対価を負担せずにその信託の受益者となった場合には，

　　・　委託者から

　　・　受益者への

　　・　信託に関する権利

の贈与があったものとみなされて贈与税の対象となります。

　　(注)　ただし，委託者の死亡によって効力が生じる信託は相続税の対象となり，贈与
　　　　税は課税されません。

第5節　贈与税の対象とならない財産

　本来，贈与により取得した財産はすべて贈与税の対象となるのですが，国民感情や社会政策的見地を考慮して贈与税の対象とならない財産があります。これを「贈与税の非課税財産」といいます。贈与税の非課税財産は次の財産です。

(1)　法人からの贈与により取得した財産

　贈与税は相続税の補完税という性格のため，相続が起こりえない法人については，法人からの財産移転があったとしても，贈与税は課税されません。この場合，財産取得者は所得税の対象となります。

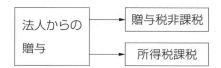

(2)　扶養義務者からもらった生活費・教育費

　親子，夫婦，兄弟などの扶養義務者の間で行った生活費・教育費の贈与で，必要なつど贈与されるものは贈与税の対象とはなりません。しかし，生活費等としてもらった場合でも貯金したり，不動産の購入資金などに充ててしまった場合には，贈与税の対象となります。

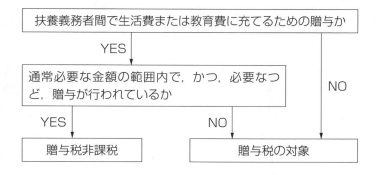

(3) 公益事業用財産

宗教活動者や慈善事業者などの公益事業者が贈与により取得した財産で，公益事業に供することが確実なものは贈与税の対象とはなりません。

(4) 一定の特定公益信託から交付を受ける金品

奨学金などのように一定の特定公益信託から受ける学術の奨励金，学費は，贈与税の対象とはなりません。

(5) 心身障害者共済制度に基づく給付金の受給権

精神または身体に障害のある人が地方公共団体から支給を受ける給付金を受ける権利は，贈与税の対象とはなりません。

(6) 特定障害者扶養信託契約に基づく信託受益権

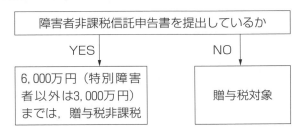

特別障害者および知的障害者等が，特定障害者扶養信託契約に基づく信託受益権の贈与を受けた場合において「障害者非課税信託申告書」を提出していると，信託受益権のうち6,000万円（特別障害者以外の障害者は3,000万円）までは，贈与税の対象とはなりません。

(7) 公職選挙の候補者が選挙運動で受けた財産

国会議員・県会議員などの公職選挙法上の選挙において，候補者が選挙運動によって贈与により取得した財産で公職選挙法の規定により報告されているものは，贈与税の対象とはなりません。

(8) 香 典 等

常識の範囲内で社交上必要と認められる香典，お見舞い，お祝い，お中元，お歳暮などは，贈与税の対象とはなりません。

(9)　相続開始年分の被相続人からの贈与

　相続開始の年に被相続人からの贈与により取得した財産で相続税の対象となる財産は，贈与税の対象とはなりません。

(10)　離婚による財産分与

　離婚による財産分与によって取得した財産は，その額が社会通念上相当な額であれば，贈与税の対象とはなりません。

贈与税の非課税財産

種　　類	非課税の範囲
①　法人からの贈与財産	全　額 （ただし，所得税が課税される）
②　扶養義務者からの生活費等	一般的に生活費等として必要と認められる金額
③　公益事業用財産	公益事業に供される部分
④　特定公益信託からの交付金品	学術の奨励金，学費
⑤　心身障害者共済制度に基づく給付金の受給権	全　額
⑥　特定障害者扶養信託契約に基づく信託受益権	信託受益権のうち6,000万円（特別障害者以外は3,000万円)までの部分
⑦　公職選挙法の候補者が贈与により取得した財産	公職選挙法の規定により報告されたもの
⑧　香　典　等	社会通念上相当と認められる金額
⑨　相続開始年分の被相続人からの贈与	全　額
⑩　離婚による財産分与	社会通念上相当と認められる金額

第6節　贈与税の計算方法

1．課税価格の計算

　贈与税は,「その年の1月1日から12月31日までの間」に贈与を受けた財産の価額の合計額(これを「課税価格」という)が課税対象となります。財産評価は,相続税と同じ方法になりますので,第4章をご覧ください。

> **本来の財産＋みなし贈与財産－非課税財産＝課税価格**

　ただし,ここで注意しなくてはならないことが1つあります。「負担付贈与」または「個人間の対価を伴う取引」により取得した不動産と上場株式については,路線価等によらず,課税時期(贈与時)の時価で評価します。

＜参考＞　負担付贈与の具体例
① 　アパート賃借人から敷金を預かっている状態でそのアパートを贈与する。
② 　妹に100万円渡すことを条件に,姉に200万円相当の株式を贈与する。
③ 　不動産購入のための借入金と一緒にその不動産を贈与する。

2．基礎控除（暦年課税制度）

　贈与税の基礎控除は,受贈者1人あたり,1年につき110万円です(相続時精算課税制度を選択する場合については,第8章参照)。したがって,課税価格が110万円以下であれば,原則として,贈与税の申告は必要ありません。

3. 贈与税額の計算 (暦年課税制度)

贈与税には「暦年課税制度」と「相続時精算課税制度」があります。相続時精算課税制度の説明は第8章に譲り，ここでは，贈与税の計算の基本である「暦年課税制度」について説明します。

18歳以上の人が父・母・祖父・祖母等の直系尊属から受けた贈与（以下，「特例贈与」という）とそれ以外の贈与（以下，「一般贈与」という）について，それぞれ贈与税の税率が異なります。特例贈与における年齢の判定は，贈与を受けた年の1月1日における年齢で行います。民法改正により成年年齢が18歳に引下げられたことに伴い，令和4年4月1日以降は，特例贈与は18歳以上となりました。

暦年課税制度の贈与税額の計算式は次のようになります。一般贈与，特例贈与についてそれぞれ下記の速算表の税率と控除額を適用させて計算します。

$$（課税価格－110万円）\underbrace{}_{A}×税率－控除額＝贈与税額$$

一般贈与の贈与税 (暦年課税) の速算表

基礎控除後の金額 A	税率	控除額
200万円以下	10%	0
200万円超～ 300万円以下	15%	10万円
300万円超～ 400万円以下	20%	25万円
400万円超～ 600万円以下	30%	65万円
600万円超～1,000万円以下	40%	125万円
1,000万円超～1,500万円以下	45%	175万円
1,500万円超～3,000万円以下	50%	250万円
3,000万円超	55%	400万円

特例贈与の贈与税（暦年課税）の速算表

基礎控除後の金額 A	税率	控除額
200万円以下	10%	0
200万円超〜　400万円以下	15%	10万円
400万円超〜　600万円以下	20%	30万円
600万円超〜 1,000万円以下	30%	90万円
1,000万円超〜 1,500万円以下	40%	190万円
1,500万円超〜 3,000万円以下	45%	265万円
3,000万円超〜 4,500万円以下	50%	415万円
4,500万円超	55%	640万円

なお，一般贈与と特例贈与を受けた場合には，次のように計算します。

贈与税額＝①＋②
　①一般贈与財産に対する贈与税額

$$① = D \times \left(\frac{A}{C}\right)$$

　②特例贈与財産に対する贈与税額

$$② = E \times \left(\frac{B}{C}\right)$$

　A：一般贈与財産の価額
　B：特例贈与財産の価額
　C：A＋B
　D：課税価格をCとして［一般贈与の速算表］を適用させて計算した贈
　　　与税額
　E：課税価格をCとして［特例贈与の速算表］を適用させて計算した贈
　　　与税額

〈贈与税の計算の具体例〉

(1) 一般贈与のケース

令和6年に15歳の人が父から500万円の贈与を受けた（父以外からの贈与はない）。

贈与税額の計算

（500万円 － 110万円）×20％ － 25万円 ＝ 53万円

∴ 贈与税額は，53万円

(2) 特例贈与のケース

令和6年に30歳の人が父から500万円の贈与を受けた（父以外からの贈与はない）。

贈与税額の計算

（500万円 － 110万円）×15％ － 10万円 ＝ 48.5万円

∴ 贈与税額は，48.5万円

(3) 一般贈与と特例贈与があるケース

令和6年に30歳の人が父から300万円，叔父から200万円の贈与を受けた（父と叔父以外からの贈与はない）。

贈与税額の計算

① 一般贈与財産に対する贈与税額を計算します。

$$53万円 \times \left(\frac{200万円}{500万円} \right) = 21.2万円$$

② 特例贈与財産に対する贈与税額を計算します。

$$48.5万円 \times \left(\frac{300万円}{500万円} \right) = 29.1万円$$

③ ①と②の合計額を計算します。

21.2万円 ＋ 29.1万円 ＝ 50.3万円

∴ 贈与税額は，50.3万円

（参考）贈与税早見表

（単位：万円）

贈与価額	特例贈与	一般贈与
110	0	0
150	4	4
200	9	9
250	14	14
300	19	19
350	26	26
400	33.5	33.5
450	41	43
500	48.5	53
550	58	67
600	68	82
700	88	112
800	117	151
900	147	191
1,000	177	231
1,500	366	450.5
2,000	585.5	695
3,000	1,035.5	1,195
4,000	1,530	1,739.5
5,000	2,049.5	2,289.5
10,000	4,799.5	5,039.5

第7節　贈与税の特例

1．贈与税の配偶者控除

　夫婦間におけるマイホームまたはマイホームの購入資金の贈与について，次の条件すべてを満たす場合には，基礎控除110万円とは別に2,000万円までの「贈与税の配偶者控除」の適用を受けることができます。

①　婚姻期間が20年以上であること（婚姻期間のカウントは，入籍日から数える）

②　日本国内にあるマイホーム（土地か建物のどちらかだけでもＯＫ）または日本国内のマイホームの購入資金の贈与であること

③　贈与の日の翌年の３月15日までにそのマイホームに住んでおり，かつ，その後も引き続き住み続ける予定であること

④　その配偶者からの贈与について，今までに「贈与税の配偶者控除」の適用を受けたことがないこと

⑤　贈与の日の翌年の２月１日から３月15日までの間に，この特例を受けることを記載した贈与税申告書を税務署へ提出していること

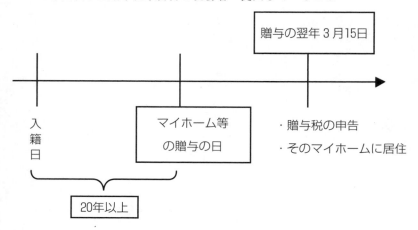

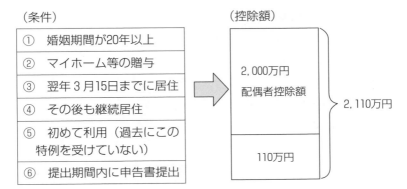

（条件）

①	婚姻期間が20年以上
②	マイホーム等の贈与
③	翌年3月15日までに居住
④	その後も継続居住
⑤	初めて利用（過去にこの特例を受けていない）
⑥	提出期間内に申告書提出

（控除額）

2,000万円
配偶者控除額

110万円

2,110万円

＜具体例＞

・評価額5,000万円のマイホームの持分の10分の3，1,500万円相当額を夫から妻へ贈与した（それ以外の贈与はない）。

1,500万円≦2,000万円

∴　贈与税ゼロ

・評価額5,000万円のマイホームの持分2分の1，2,500万円分相当額を夫から妻へ贈与した（それ以外の贈与はない）。

2,500万円＞2,000万円

＜贈与税額の計算＞

（2,500万円－2,000万円－110万円）×20％－25万円＝53万円

２．住宅取得等資金の贈与税の非課税制度

　令和６年１月１日から令和８年12月31日までの間に，18歳以上の人が，その父・母・祖父・祖母などの直系尊属から受けるマイホームの購入資金・増改築資金の贈与について，次のすべての条件を満たす場合には，110万円の基礎控除とは別に1,000万円の非課税の適用を受けることができます。

　ただし，そのマイホームが「省エネルギー性が高い」，「耐震性が高い」，「バリアフリー性が高い」のいずれかに該当する住宅（以下，「省エネ等住宅」という）以外である場合には，非課税枠は500万円減額され，500万円の非課税限度額となります。

　なお，この制度の適用を受けて贈与された金銭は，相続開始前７年以内の贈与財産（45ページ参照）として相続税の課税価格に加算する必要はありません。

　この制度は，暦年課税制度の贈与だけでなく，相続時精算課税の場合にも適用することができます。

非課税限度額

贈与時期	省エネ等住宅	左記以外の住宅
令和６年１月〜令和８年12月	1,000万円	500万円

（条件）

① 　贈与を受けた時に，受贈者の住所が日本にあること（ただし，受贈者が一時居住者であり，かつ，贈与者が外国人贈与者または非居住贈与者である場合は適用できない）

　　　また，受贈者の住所が外国にある場合には，受贈者の国籍が日本であり，かつ，受贈者または贈与者の住所が贈与前10年以内に日本にあったことなどの一定の条件を満たしていること

② 　受贈者が贈与を受けた年の１月１日において18歳以上であること

③ 　受贈者の合計所得金額が2,000万円以下であること

④ 　贈与者は，受贈者の父・母・祖父・祖母などの直系尊属であること

⑤ 一定のマイホームの購入・新築・増改築のための金銭贈与であること

⑥ 贈与の日の翌年3月15日までにそのマイホームに居住すること，または，同日後遅滞なくそのマイホームに居住することが確実であると見込まれること（ただし，災害によりマイホームに居住できなくなった場合は，この条件は免除されるときがある。また，災害により期限までに居住できなかった場合は，期限が1年延長される場合がある）

⑦ 贈与の日の翌年の2月1日から3月15日までの間に，この特例を受けることを記載した贈与税申告書を税務署へ提出していること

⑧ 令和5年分以前において，住宅取得等資金の贈与税の非課税の適用を受けていないこと（一定の場合を除く）

マイホームの要件

	新築物件	中古物件	増改築等[注1]
床面積等	・床面積が登記簿上50㎡以上（40㎡以上[注2]）240㎡以下 ・床面積の1/2以上が居住用	同左	・増改築後の床面積が登記簿上50㎡以上（40㎡以上[注2]）240㎡以下 ・床面積の1/2以上が居住用 ・工事費が100万円以上であること
耐震基準	―	・地震に対する安全性に係る基準に適合したことを証明された場合や既存住宅売買瑕疵保険に加入している場合 ・登記簿上の建築日付が昭和57年（1982年）1月1日以降の物件については，地震に対する安全性に係る基準に適合しているとみなす	
購入先等	マイホームの購入先等が受贈者の父・母・兄弟・姉妹など一定の親族や特別の関係がある者である場合は除かれます。		
所　在	日本		

（注1）　増改築等の範囲には，バリアフリー改修工事等を含みます。

（注2）　受贈者の贈与を受ける年の合計所得金額が1,000万円以下の場合は，40㎡以上となります。

　マイホームに先行して取得する敷地についてもこの制度の適用を受けることができます。

　なお，贈与の日の翌年3月15日後遅滞なくそのマイホームに居住する予定であったにもかかわらず，結局12月31日までにそのマイホームに居住しなかった場合には，この住宅非課税限度額は使えませんので，その際には，修正申告が必要となります。

3．教育資金の一括贈与に係る贈与税の非課税制度

　父母や祖父母等の扶養義務者から教育資金を必要なつど贈与されたものは贈与税の対象とはなりません。しかし，教育資金をまとめて贈与された場合は贈与税の対象となります。そこで，平成25年度の税制改正により，教育資金を一括して贈与されたとしても贈与税が非課税となる特例ができました。

　平成25年4月1日から令和8年3月31日までの間に，30歳未満の人が，父・母・祖父・祖母等の直系尊属から教育資金に充てるために一括贈与された金銭等については，一定の要件をすべて満たせば，1,500万円（学校等以外の者に支払う金銭等は500万円）まで贈与税は非課税とされます。ただし，教育資金管理契約が終了したときに残っていた残金については，その時において残金を贈与されたものとして贈与税の課税対象となります。

　教育資金管理契約は，原則として受贈者が30歳に達したときや死亡したときに終了します。令和元年7月1日以後は，受贈者が30歳に達した場合でも，その時点において学校等に在学している場合や教育訓練給付金の支給対象となる教育訓練を受講している場合は，終了しません。その場合は，その年中のいずれかの日において学校等に在学した日または教育訓練を受けた日があることを金融機関に届け出なかった年の12月31日か40歳に達する日のいずれか早いときに終了します。

　贈与者が死亡した場合には，令和5年3月31日までの教育資金の一括贈与については①受贈者が23歳未満である場合，②受贈者が学校等に在学している場合，③受贈者が教育訓練給付金の支給対象となる教育訓練を受講している場合

を除き，その贈与者の死亡の日における教育資金口座の残額を，その受贈者が贈与者から相続または遺贈により取得したものとみなされ，相続税申告が必要となる場合があります。令和5年4月1日以後に一括贈与された教育資金については，前記①〜③に該当していても贈与者の死亡に係る相続税の課税価格が5億円を超えるときは，その贈与者の死亡の日における教育資金口座の残額が相続税の対象になります。受贈者が代襲相続人でない孫・ひ孫であれば，「相続税の2割加算」の対象にもなります。ただし，平成31年3月31日以前に贈与を受けた信託受益権等は含まれず，平成31年4月1日から令和3年3月31日の間に贈与を受けた信託受益権等は贈与者の死亡前3年以内の贈与に該当する残額のみが相続税の対象となり，「相続税の2割加算」の適用は受けません。

この特例の対象となる教育資金とは，学校等に対して直接支払う入学金・授業料・学用品の購入費等や，学習塾やピアノ教室等に対して直接支払う金銭等です。

（要件）

① 贈与者は，受贈者の直系尊属であること

② 受贈者は，教育資金管理契約を締結する日において30歳未満であること

③ 教育資金に充てるための信託受益権・金銭等であること

④ 一括贈与が，(イ)贈与者と信託会社との間の教育資金管理契約に基づいた信託受益権を贈与された場合，(ロ)書面により贈与された金銭を教育資金管理契約に基づいて金融機関に預け入れた場合，(ハ)教育資金管理契約に基づき書面により贈与された金銭等を使って証券会社等で有価証券を購入した場合のいずれかに該当すること

⑤ 教育資金非課税申告書を，金融機関等を経由して税務署に提出すること

⑥ 教育資金として支出したことを証する領収書等を金融機関等に提出すること

⑦ 平成31年4月1日以後の贈与については，前年の受贈者の合計所得金額が1,000万円以下であること

贈与者が死亡した場合の課税関係のまとめ

贈与の時期	相続税の課税	相続税の2割加算
平成31年3月31日まで	対象外	適用なし
平成31年4月1日から令和3年3月31日まで	相続開始前3年内加算の対象	適用なし
令和3年4月1日から令和5年3月31日まで	対象 (注1)	適用
令和5年4月1日以降	対象 (注2)	適用

（注1）　受贈者が23歳未満である場合等には対象外です。
（注2）　受贈者が23歳未満である場合等で，かつ，贈与者の死亡に係る相続税の課税価格が5億円以下のときには，対象外です。

（贈与時）

　金融機関を通じて教育資金非課税申告書を税務署へ提出。

```
教育資金口座の残額
```

（教育資金の支払時等）

　金融機関へ領収書等を提出，税務署での手続きは不要。

```
教育資金口座の残額                    教育資金の
                                    支払い
```

（贈与者が死亡した時）

　　贈与者死亡時の残額を贈与者から相続等により取得したこととされ，相続税申告が必要になる場合がある。代襲相続人以外の孫・ひ孫は「相続税の2割加算」が適用される。

```
教育資金口座の残額→相続税の対象        教育資金の
                                    支払い
```

(注) 贈与年によって取扱いが異なっています。

（教育資金管理契約が終了した時）

残額が贈与税の対象となるため，贈与税申告が必要となる場合がある。

令和5年4月1日以後に贈与された残額について贈与税申告が必要となる場合には，受贈者が18歳以上であっても特例贈与は適用できず，一般贈与として贈与税を計算する。

教育資金口座の残額

(注) 受贈者が30歳になる前に死亡した場合は，残額は贈与税の対象にはなりません。

4．結婚・子育て資金の一括贈与に係る贈与税の非課税制度

平成27年度の税制改正により，結婚・子育て資金を一括して贈与されたとしても贈与税が非課税となる特例ができました。

平成27年4月1日から令和7年3月31日までの間に，18歳以上（令和4年3月31日以前の贈与は20歳以上。以下同じ）50歳未満の人が，父・母・祖父・祖母等の直系尊属から結婚費用・子育て資金に充てるために一括贈与された金銭等については，一定の要件をすべて満たせば，1,000万円（結婚費用に充てるための金銭等は300万円）までは贈与税は非課税とされます。ただし，その受贈者が50歳に達したときに残っていた残金については，50歳に達した時において残金を贈与されたものとして贈与税の対象となります。令和5年4月1日以後の贈与について贈与税申告が必要になる場合には，特例贈与は適用できず，一般贈与として贈与税を計算します。

この特例の対象となる結婚費用とは，挙式費用・結婚披露宴費用・新居費用等（一定の期間内に支払われるものに限る）であり，子育て資金とは，不妊治療費・出産費用・幼稚園等の保育料等として支払う金銭等です。

また，金融機関等との契約期間中にその贈与者が死亡した場合には，この特例により贈与を受けた金銭等のうちその時点での残額については，その贈与者から相続等により取得したものとして相続税の対象となります。その場合，受

贈者が孫・ひ孫（代襲相続人である場合を除く）であれば，「相続税の 2 割加算」の対象になります。

　ただし，相続税の対象になる場合でも，令和 3 年 3 月31日までの贈与であれば，その残額は「相続税の 2 割加算」の対象にはなりません。

（要件）

①　贈与者は，受贈者の直系尊属であること

②　受贈者は，結婚・子育て資金管理契約を締結する日において18歳以上50歳未満であること

③　結婚・子育て資金に充てるための信託受益権・金銭等であること

④　一括贈与が，(イ)贈与者と信託会社との間の結婚・子育て資金管理契約に基づいた信託受益権を贈与された場合，(ロ)書面により贈与された金銭を結婚・子育て資金管理契約に基づいて金融機関に預け入れた場合，(ハ)結婚・子育て資金管理契約に基づき書面により贈与された金銭等を使って証券会社等で有価証券を購入した場合のいずれかに該当すること

⑤　結婚・子育て資金非課税申告書を，金融機関等を経由して税務署に提出すること

⑥　結婚・子育て資金として支出したことを証する領収書等を金融機関等に提出すること

⑦　平成31年 4 月 1 日以後の贈与については，前年の受贈者の合計所得金額が1,000万円以下であること

（贈与時）

　金融機関を通じて結婚・子育て資金非課税申告書を税務署へ提出。

結婚・子育て資金口座の残額

154

（結婚・子育て資金の支払時）

　金融機関へ領収書等を提出，税務署での手続きは不要。

結婚・子育て資金口座の残額	結婚・子育て資金の支払い

（贈与者が死亡した時）

　贈与者死亡時の残額を贈与者から相続等により取得したこととされ，相続税申告が必要となる場合がある。

(注)　令和3年4月1日以後の贈与であれば，代襲相続人以外の孫・ひ孫は「相続税の2割加算」の対象になります。

結婚・子育て資金口座の残額→相続税の対象	結婚・子育て資金の支払い

（受贈者が50歳になった時）

　残額が贈与税の対象となるため，贈与税申告が必要となる場合がある。

　令和5年4月1日以後の贈与について贈与税申告が必要となる場合には，特例贈与で計算することはできず，一般贈与として贈与税を計算する。

　(注) 受贈者が50歳になる前に死亡した場合は，残額は贈与税の対象になりません。

結婚・子育て資金口座の残額

『第7章』

贈与税の申告と納税

第1節　申　　告

1．申告書を提出しなくてはならない人

　贈与税の申告書を提出しなくてはならない人は，次のいずれかに該当する個人であり，財産の取得者，つまり「受贈者」です。

① 　その年の1月1日から12月31日までの間に贈与を受けた財産の価額の合計額が110万円を超える人

② 　贈与税の配偶者控除の適用を受ける人

③ 　住宅取得等資金の贈与税の非課税制度の適用を受ける人

④ 　その年の1月1日から12月31日までの間に110万円を超える相続時精算課税贈与を受けた人

受贈者	① 課税価格の合計が110万円超	申告義務あり！
	② 贈与税の配偶者控除を適用	
	③ 住宅取得等資金の贈与税の非課税制度を適用	
	④ その年に110万円超の相続時精算課税贈与を受けた	

以下の例では，令和 6 年分の贈与税申告書を提出しなくてはなりません。

100万円＋50万円＝150万円＞110万円

2．贈与税申告書の提出期限

贈与税申告書は，贈与を受けた年の「翌年 2 月 1 日から 3 月15日までの間」に，受贈者が自分の住所地の所轄税務署へ提出しなくてはなりません。

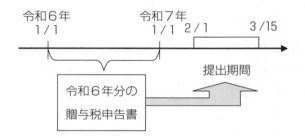

(注) 期限内に申告・納税することが困難な場合には，申請することによって期限を延長することができる制度があります。

第2節　納　　　税

1．納　　　税

　贈与税申告書を提出した人は，贈与を受けた年の翌年3月15日までに，贈与税申告書に記入した贈与税額を金銭で納付しなくてはなりません。納付は，郵便局や銀行などの金融機関の税金コーナーの窓口や所轄税務署の納税窓口で行います。申告について「e‐Tax」を利用している場合には，インターネットを使って納付することもできます。納付税額が30万円以下で，税務署からバーコード付納付書を入手した場合にはコンビニエンスストアで納付することもできます。ただし，金融機関の口座から税金を引き落としてくれる振替納税の制度は贈与税にはありません。贈与税申告書を提出期限までに提出していても，この納付を忘れてしまうと，加算税や延滞税が課されることになります。

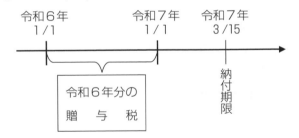

2．納税の特例（延納）

　贈与税についても相続税と同じように，納付期限までに金銭で一括納付することができない場合には，「延納」を申請し，許可を受ければ5年以内の分割払いとすることができます。なお，贈与税には，「物納」の制度はありません。

　①　延納期間は，5年以内
　②　年に1回，贈与税の分割額と利子税を合わせて納付

(1)　延納が認められるための条件

　①　贈与税額が10万円を超えること

② 金銭で納付することが困難である理由があること

③ 延納の適用を受けようとする贈与税額に相当する担保を提供すること

ただし，延納の適用を受けようとする贈与税額が100万円以下で，かつ，延納期間が3年以下であるときは，担保を提供する必要はありません。

④ 贈与税申告書提出期限までに「延納申請書」を受贈者の住所を所轄する税務署へ提出し，税務署長の許可を受けていること

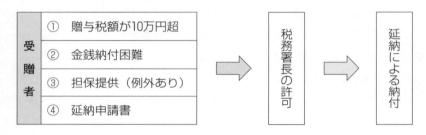

(2) 利 子 税

延納によって贈与税を納付する場合には，支払利息に相当する年6.6％の利子税を合わせて納付しなくてはなりません。利子税の割合は，年6.6％が原則ですが，次の算式により計算した割合と比較して低い方を適用します。

$$6.6\% \times \frac{\text{延納特例基準割合}}{7.3\%}$$

(注) 0.1％未満の端数切捨て

延納特例基準割合とは，各分納期間の開始の日の属する年の前々年の9月から前年の8月までの各月における銀行の新規の短期貸出約定平均金利の合計を12で除した割合として各年の前年の11月30日までに財務大臣が告示する割合に，年0.5％の割合を加算した割合になります。

『第8章』

相続時精算課税制度

第1節　制度の概要

　相続時精算課税とは，簡単にいうと，「祖父母や親から子や孫へ行う生前贈与は，通常の贈与に比べ贈与時の税負担を軽くする，その代わり相続時に，贈与財産も含めて相続税を計算し，贈与時に払った贈与税は相続税から差し引いて精算する」という制度です。高齢化が進む中，高齢者の保有する資産を若い世代に早めに移転するという観点から，平成15年に導入されました。しかし，一度この制度を選択すると少額の贈与を受けた場合でも毎年贈与税の申告をする必要があるなど使い勝手が悪かったため，令和6年以降は暦年課税と同じく年間110万円の基礎控除が設けられるという大きな改正がありました。

　具体的には，次のような制度です。

① 　60歳以上の祖父母や親から，18歳以上の子や孫への贈与について，

② 　贈与金額から年間110万円の基礎控除額を控除をした金額は，累計（単年度でも複数年でも）2,500万円の特別控除までは贈与税はゼロ，

③ 　上記②を上回る贈与について，贈与税率は一律20％，

④ 　祖父母や親が亡くなったときには，贈与された財産（毎年110万円の基礎控除後）を相続財産に加えて相続税額を計算し，

⑤ 　その際すでに払った贈与税額があれば，相続税額から差し引く。

⑥ 　相続税額より支払った贈与税額が多ければ還付を受けられる。

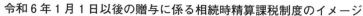

令和6年1月1日以後の贈与に係る相続時精算課税制度のイメージ

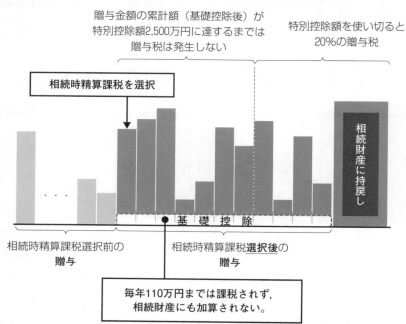

例えば，1億円の財産を保有している父がそのうち4,000万円を子に贈与し，贈与時に子が相続時精算課税を選択したとします。財産をもらった子が支払う贈与税は，基礎控除110万円を引き，さらに2,500万円まではゼロ，それを超える部分1,390万円については一律20％の税率が適用されますので，支払う税額は278万円となります。

一方，通常の暦年課税で計算すると，4,000万円の贈与に対する贈与税は1,530万円（贈与税の計算については，第6章第6節参照。以下同じ）ですから，相続時精算課税を選択すると，かなり低い税負担で済むこととなります。

相続時精算課税を選択した場合，将来，父の相続が発生したときには，贈与された金額から110万円控除後の3,890万円を相続財産に加えて相続税を計算しますので，相続税の対象となる財産は9,890万円となり，その場合の相続税額

は1,187万円（相続税の計算については，第3章第2節参照。以下同じ）です。

　子が実際に支払う相続税は，この1,187万円から贈与時に支払った贈与税278万円を差し引いた残りの909万円となります。

　それでは，もし父が4,000万円の贈与をしなかった場合はどうでしょう。そのときは相続発生時に父の相続財産1億円について子は1,220万円の相続税を支払うことになりますので，結果，相続時精算課税を選択して贈与を行った場合の相続税額および贈与税額の合計額1,187万円と比べて，支払う税額はあまり大きくは変わりません。

　このように多額の贈与を1度に行いたい場合には，贈与時に相続時精算課税を選択すると，贈与時の税負担が通常の贈与に比べて軽く，しかも，贈与財産の価額が贈与時と相続時で変動がない場合には，支払う贈与税と将来の相続税の合計額は，贈与をしなかった場合の将来の相続税額と大きく変わらないので，相続まで待たずに子や孫へ早めの資産移転をすることができます。

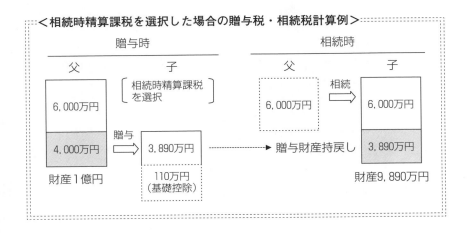

＜相続時精算課税を選択した場合の贈与税・相続税計算例＞

第2節　相続時精算課税の適用条件

1．適用対象者

贈与者	60歳以上の祖父母または父母
受贈者	18歳以上の推定相続人または孫

　相続時精算課税の適用を受けることができるのは，上記のように，60歳以上の祖父母や親から18歳以上の子や孫への贈与に限られます。年齢の判定は贈与した年の1月1日で行います。

2．相続時精算課税の選択

　相続時精算課税は，選択制です。贈与を受けた人（受贈者）は，祖父母や親（贈与者）からの贈与について，相続時精算課税を選択するか，それとも従来の暦年課税（110万円の基礎控除を引いた残りに10％～55％の累進税率によって課税）により贈与税を支払うかの選択をすることができます。ただし，一度相続時精算課税を選択したら，その贈与者からの贈与は，以後ずっと相続時精算課税によることとなります。その後に暦年課税に変更することはできません。

　この選択は贈与者ごとに行うことが可能ですので，例えば，父と祖父からの贈与は相続時精算課税を選択し，母からの贈与については暦年課税の適用を受けることも可能です。また，祖父母や親以外からの贈与については相続時精算課税の選択ができませんので，従来の暦年課税によることとなります。

　なお，暦年課税と相続時精算課税を併用して贈与を受ける場合には，それぞれの制度の110万円の基礎控除を使うことができます。

<参考　複数人から贈与を受けた場合の基礎控除の取り扱い>

前提　X年1/1〜12/31の贈与

■　暦年課税と相続時精算課税を併用した場合

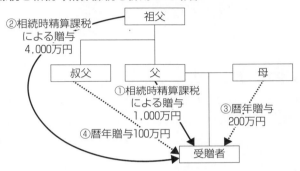

相続時精算課税は①と②を合わせて基礎控除年110万円（贈与額の比で各贈与者へ按分）。

暦年課税は③と④の合計額につき基礎控除年110万円。

両制度を併用して贈与を受ける場合は，それぞれの制度の110万円の基礎控除を使うことができる。

〇長男の納付すべき贈与税

相続時精算課税（①父と②祖父）

①　1,000万円−22万円※＝978万円　＜特別控除2,500万円

②　（4,000万円−88万円※−2,500万円）×20％＝282万4千円

　※基礎控除の按分

①　110万円×1,000万円／（1,000万円＋4,000万円）＝22万円

②　110万円×4,000万円／（1,000万円＋4,000万円）＝88万円

暦年課税（③母と④叔父）

　（200万円＋100万円−110万円）×10％＝19万円

合計贈与税額　301万4千円

3．贈与財産の種類

　相続時精算課税を選択して贈与を受ける財産の種類には制限がありません。現金，不動産，株式など，いずれの財産でも贈与が可能です。ただし，後述するように，どのような財産を相続時精算課税を使って贈与するかにより，相続税の計算上，有利になったり不利になったりすることがあります。

4．贈与税の計算と申告

　贈与金額[注]が累計で2,500万円となるまでは贈与税がかかりません。また，贈与する回数や期間について制約はありません。令和5年以前は，相続時精算課税を選択した場合は，その年の贈与金額がまだ累計で2,500万円に達していないため贈与税がゼロとなる場合であっても，贈与税申告は必要でしたが，令和6年以降の贈与からは，贈与を受けた金額が基礎控除額（年間110万円）以下の場合には申告書の提出は不要となりました。

　ただし，相続時精算課税の適用を受ける初年度は，贈与を受けた年の翌年2月1日から3月15日までに「相続時精算課税選択届出書」に受贈者の戸籍をつけて提出する必要があります。提出がない場合には相続時精算課税の適用を受けられませんので，暦年課税となり，110万円の基礎控除後10％～55％の税率で贈与税がかかります。

　また，相続時精算課税の適用を受けた翌年以降110万円を超える贈与を受け，期限内に申告書を提出しない場合には，2,500万円の特別控除を使うことができず，110万円の基礎控除後の金額の20％の贈与税を納めることになります。

(注)　基礎控除額年間110万円を控除した後の累計額です。

第3節　相続時精算課税と暦年課税の比較

　それでは，どのような場合に相続時精算課税を選択すると有利なのでしょうか。

(1)　将来贈与者に相続が発生した場合，相続税の心配がないケース

　贈与者に相続が発生した場合に相続税の負担が生じないと思われる場合は，子や孫にまとまった金額を贈与をする際に，2,500万円＋毎年の基礎控除110万円まで非課税で贈与ができる相続時精算課税をどんどん活用すべきといえます。ただし従来は，相続税がかかるほどの財産を遺して亡くなられる方は，約4.5％，つまり100人のうち5人弱の割合でしたが，平成27年1月1日以降発生した相続からは，基礎控除の金額が以前の6割に引き下げられたことにより，課税割合は増加しています。贈与をする場合には，将来自分が亡くなった時に相続税がかかるかどうか，よく検討して，暦年課税の適用を受けるか，または相続時精算課税を選択するか，判断するべきでしょう。一度相続時精算課税を選択してしまうと，その贈与者からの贈与については，暦年課税の適用を受けることができなくなりますので，注意が必要です。

(2)　将来贈与者に相続が発生した場合，相続税の心配があるケース

　暦年課税には次のような特徴があります。

① 　相続開始前7年以内の贈与財産は相続財産に持ち戻しされる。

② 　贈与のつど10％から55％の税率で贈与税を計算する（相続税より低い税負担率で贈与することが可能）。

暦年課税の贈与税と相続税

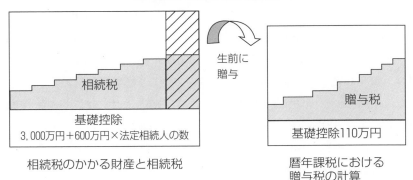

相続税のかかる財産と相続税

暦年課税における
贈与税の計算

　例えば，財産が 3 億5,000万円ある父が子 2 人にそれぞれ2,500万円ずつ，合計5,000万円を生前に贈与をするケースで考えてみましょう。まずケース 1 のように2,500万円を一括で贈与する場合，贈与時に子 2 人が相続時精算課税を選択すると，基礎控除後の贈与財産はそれぞれ特別控除額以下ですから，支払うべき贈与税額はゼロとなります。その後，父に相続が発生したときの相続税は，贈与税課税価格の4,780万円と残った相続財産 3 億円の合計 3 億4,780万円，これにかかる相続税額は8,832万円になります。

　一方，同じように子に2,500万円の贈与をするのにあたって，ケース 2 から 4 のように毎年250万円ずつ10年にわたって贈与を行う場合はどうでしょう。

　ケース 2 は，暦年課税を使って毎年贈与をし，かつ相続財産への持ち戻しがない場合を想定しています。子はそれぞれ毎年(250万円－110万円)×10％＝14万円ずつの贈与税を10年にわたって支払いますので，贈与税の合計額は14万円×2 人×10年＝280万円となります。その後，父の相続にかかる相続税は残った相続財産 3 億円に対して6,920万円（巻末「相続税早見表」参照）となりますので，相続税，贈与税合計で税負担は7,200万円となり，ケース 1 よりかなり軽減されます。しかし，ケース 2 は最後の贈与から 7 年経過以後に相続が発生した想定です。では，もし最後の贈与から程なくして父に相続が発生し，7 年間の生前贈与が加算対象になってしまった場合はどうでしょう。

　ケース 3 の暦年課税では，子がそれぞれ毎年（250万円－110万円）×10％＝14万円ずつ贈与税を10年にわたって支払うのは変わりありませんが，（250万円×2 人× 7 年）－（100万円× 2 人）＝3,300万円が生前贈与加算の対象となります。暦年課税では基礎控除を控除する前，つまり贈与財産の全額（ 3 年超 7 年以内の財産は合計100万円まで加算対象外）を持ち戻しますので，相続財産 3 億円との合計は 3 億3,300万円，これにかかる相続税は8,240万円－196万円（ 7 年分の贈与税額控除）＝8,044万円となりますので，相続税，贈与税の合計負担額は8,324万円となります。

　一方ケース 4 のように，基礎控除が設けられた相続時精算課税を使って10年にわたり贈与をした場合は，毎年の課税価格は250万円－110万円＝140万円と

なります。さらに2,500万円の特別控除があるため，10年の間贈与税を負担することはありません。その後，父に相続が発生したときに持ち戻される贈与財産は140万円×10年×2人＝2,800万円，残った相続財産3億円と合計して3億2,800万円となりますので，これにかかる相続税は8,040万円になります。

　このように，相続時精算課税を選択した場合には，贈与した財産は毎年の基礎控除額を控除した後の金額がすべて相続財産に加算されるのに対して，暦年課税を使った場合には，相続開始前7年以内に相続人等に対してなされた贈与以外は加算されず，相続財産から完全に切り離されます。

　しかし，令和6年以降は暦年課税の生前贈与加算対象期間が3年から7年に延長され，相続時精算課税には基礎控除が設けられたことにより，ケース3のように贈与者が贈与後すぐに亡くなってしまった場合には，結果として相続時精算課税で贈与をした方が有利だったということになります。

　他にも，暦年課税では基礎控除も含め贈与財産全額が生前贈与加算の対象となりますが，相続時精算課税では基礎控除部分は持ち戻されません。その為，年間110万円までしか贈与しない場合は，相続時精算課税の方が有利と言えるでしょう。

　ケース1から4までを総括すると，ポイントは以下のようになります。

① 　相続税の税率が高く，贈与者の相続発生まで7年以上を見込める場合は暦年課税が想定される。

② 　贈与者の相続発生まであまり時間がない（7年未満）場合や，年間110万円までしか贈与をしない場合は相続時精算課税の選択が想定される。

　どちらの制度を使用するかは贈与者の年齢や健康状態，家族構成などを考慮し検討することが必要です。

相続時精算課税と暦年課税の比較
～その1　贈与期間，相続発生時期で比較する場合～

ケース1 　相続時精算課税で一括贈与

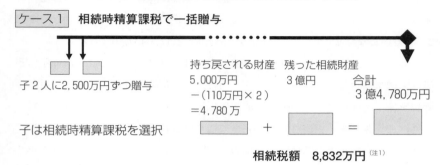

子2人に2,500万円ずつ贈与

子は相続時精算課税を選択

持ち戻される財産　残った相続財産
5,000万円　　　　　3億円　　　　　合計
－(110万円×2)　　　　　　　　　　3億4,780万円
＝4,780万

＋　　　　　＝

相続税額　8,832万円 [注1]

ケース2 　暦年課税で10年間贈与 （生前贈与加算対象なし）

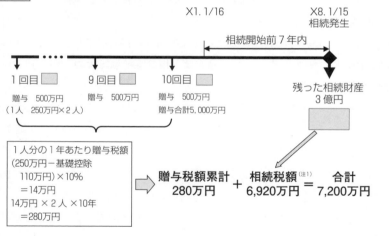

X1.1/16　　　　　　　　X8.1/15
　　　　　　　　　　　　相続発生

相続開始前7年内

1回目　　　　9回目　　　　10回目

贈与　500万円　　贈与　500万円　　贈与　500万円
(1人　250万円×2人)　　　　　　　　　　贈与合計5,000万円

残った相続財産
3億円

1人分の1年あたり贈与税額
(250万円－基礎控除
　110万円)×10%
　=14万円
14万円 × 2人 ×10年
=280万円

贈与税額累計　＋　相続税額 [注1]　＝　合計
280万円　　　　6,920万円　　　　7,200万円

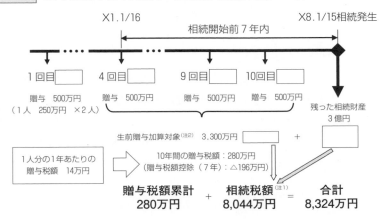

ケース 3　暦年課税で10年間贈与（生前贈与加算対象：7年）

X1.1/16　　　　　　　　　　　　　X8.1/15相続発生

相続開始前 7 年内

1 回目　　4 回目　　9 回目　　10回目

贈与　500万円　　贈与　500万円　　贈与　500万円　　贈与　500万円
（1人　250万円　×2人）　　　　　　　　　　　　　　残った相続財産
3 億円

生前贈与加算対象（注2）　3,300万円　　＋

1人分の1年あたりの　　　10年間の贈与税額：280万円
贈与税額　14万円　　　　（贈与税額控除（7年）：△196万円）

贈与税額累計　　　＋　　相続税額（注1）　　＝　　合計
280万円　　　　　　　8,044万円　　　　　　8,324万円

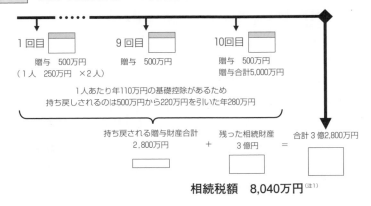

ケース 4　相続時精算課税で10年間贈与

1 回目　　　　9 回目　　　　10回目

贈与　500万円　　贈与　500万円　　贈与　500万円
（1人　250万円　×2人）　　　　　　　　　贈与合計5,000万円

1人あたり年110万円の基礎控除があるため
持ち戻しされるのは500万円から220万円を引いた年280万円

持ち戻される贈与財産合計　　残った相続財産　　合計 3 億2,800万円
2,800万円　　　　　＋　　　3 億円　　　＝

相続税額　8,040万円（注1）

（注1）　ケース 1 からケース 4 のいずれも相続人は子 2 人として計算しています。
（注2）　3 年超 7 年以内の贈与は，一人あたり合計100万円まで加算対象外です。

(3) 孫への贈与

　相続時精算課税は子だけでなく孫も適用可能ですが，孫への贈与はどちらを選べば有利なのでしょうか。一般的には，相続人ではない孫への贈与は暦年課税が有利と言えるでしょう。

　暦年課税の生前贈与加算は，相続税を支払う義務がある人が対象です。遺言等で財産を取得せず，かつ生命保険等の受取人でもない人に贈与をすると，その贈与財産は加算対象外になります。ただし，子が亡くなり孫が代襲相続人となった場合や，孫が生命保険の受取人に指定されている場合等には孫にも相続税の納税義務が生じ，生前贈与加算の対象となるため注意が必要です。

第4節　相続時精算課税のポイント

1．相続時精算課税を選択して贈与すると効果的な財産

　贈与する財産によって相続時精算課税を選択すると効果的である場合もあります。相続時精算課税を利用して贈与した財産は，贈与時の評価額で相続税の計算に取り込まれることがポイントです。

　例えば，未上場の会社を経営している父の財産が，贈与時点ではその会社の株式3億円と預金，自宅などで4億円，合計7億円であったとします。父が，後継者である子に株式3億円（基礎控除額110万円を控除した後の金額。以下この節において同じ）を贈与し，子は相続時精算課税の選択をしました。この場合，3億円から2,500万円の特別控除額を差し引き，残りの2億7,500万円について20％の税金がかかりますので，支払うべき贈与税は5,500万円となります。

　その後この会社の業績が順調に伸び，父の相続時には贈与された株式の価額が8億円まで上昇したケースを考えてみます。父の相続税を計算する場合には，贈与時に子が相続時精算課税を選択していますので，贈与された株式が相続財産に持ち戻しされますが，このときの価額は相続時の価額ではなく贈与時の課税価格です。結果，相続財産は株式3億円とその他の財産4億円の合計7億円となり，この場合の相続税額は2億9,320万円（巻末「相続税早見表」参照。

以下同じ）ですので，すでに支払い済みの贈与税5,500万円を差し引き，納付すべき相続税額は 2 億3,820万円となります。

　もし父がこの会社の株式を贈与しないで死亡したとすると，一体相続税はどうなるでしょうか。父が死亡したときの相続財産は，株式 8 億円とその他の財産 4 億円，合計12億円となりますので，子の納付すべき相続税額は 5 億6,820万円となってしまいます。このケースでは，相続時精算課税を使って生前に株式を贈与したことにより，その後の株式値上がり益 5 億円にかかる相続税額分 2 億7,500万円（ 5 億円×相続税税率55%）が軽減できたことになります。

　このように，将来の値上がりが予想される財産については，相続時精算課税を選択して贈与をしておくと，相続税の軽減となります。逆に将来価値が下がるような財産であれば，相続時まで待って財産の移転を考える方が有利といえます。

　また，所有していることにより高い収益を上げる資産（例えば賃貸不動産等）も相続時精算課税を選択して早めの移転を行うことにより，その収益が子に帰属するので，贈与者の財産の増加を食い止め，またその収益をもって将来の子の相続税納税財源にすることができます。

　さらに，令和 6 年 1 月 1 日以後の贈与については，相続時精算課税の基礎控除額（年間110万円）を活用することにより，贈与時期にかかわらず，この年間110万円を相続財産から完全に切り離すことが可能となりました。

相続時精算課税と暦年課税の比較
〜その 2　値上がりが予想される財産を贈与する場合〜

前提条件

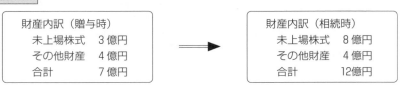

財産内訳（贈与時）	
未上場株式	3 億円
その他財産	4 億円
合計	7 億円

財産内訳（相続時）	
未上場株式	8 億円
その他財産	4 億円
合計	12億円

（注 1 ）　ケース 1 ， 2 とも相続人は子 1 人として相続税を計算します。

ケース1　相続時精算課税を使って，未上場株式を贈与

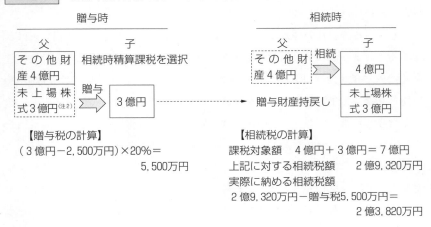

【贈与税の計算】
（3億円－2,500万円）×20%＝
　　　　　　　　　　　　　5,500万円

【相続税の計算】
課税対象額　4億円＋3億円＝7億円
上記に対する相続税額　2億9,320万円
実際に納める相続税額
2億9,320万円－贈与税5,500万円＝
　　　　　　　　　　　　2億3,820万円

（注2）　基礎控除額110万円を控除した後の金額。以下この節において同じ

ケース2　贈与をせず相続発生

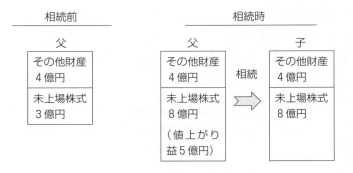

課税対象額　12億円
実際に納める相続税額　5億6,820万円

２．相続時精算課税選択の注意点

　ある程度まとまった金額の財産を贈与した場合に，贈与税の負担が軽くてすむのが相続時精算課税ですが，誰がいくらの財産をもらったかという情報が，相続時に他の相続人にも知らされることとなりますので，遺産分割への配慮が必要となります。贈与を受けた相続人と受けなかった相続人の間で争いとなる可能性もないとはいえません。将来の遺産分割の方向性も考えてこの制度を活用していただくことが，相続を争いのもとにしないためには肝要となるでしょう。

　また，贈与を受けた人が贈与者より先に亡くなってしまった場合には，その贈与を受けた人の相続人が相続時精算課税に係る納税の義務を承継します。

　例えば，次のケースで子が父から贈与を受け，相続時精算課税を選択したとします。子が父より先に亡くなってしまうと，その後，父の相続発生時において，本来であれば，子が支払うべき相続税は，子の相続人である配偶者および母が法定相続分に応じて引き継ぐこととなります（ただし，父本人は引き継がない）。配偶者は父からみて相続人ではありませんから，遺言がない限り父の相続時に財産を取得することはありませんが，相続時精算課税に係る納税義務だけは発生することになります。

相続時精算課税における納税義務の承継例

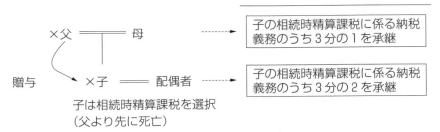

　また，平成27年１月１日より，相続時精算課税の受贈者の範囲に「18歳以上の孫」が加わっていますが，代襲相続人でない孫が受贈者となる場合は，贈与者である祖父母に相続が発生した場合，孫の負担する相続税は，「相続税の２

割加算」の対象となるため，通常に計算した金額の1.2倍の負担となります。

　代襲相続人でない孫は，通常遺言がない限り相続時に祖父母の財産を取得することがないので，相続時精算課税により祖父母から贈与を受ける場合には，将来の相続税負担を見越して，納税資金を確保しておく必要があるでしょう。

平成27年1月1日以降の相続時精算課税適用対象関係

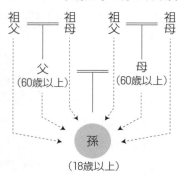

最大6人から合計1億5,000万円(注)（2,500万円×6）まで贈与を受けても，孫に贈与税はかからない。
ただし，贈与者が死亡した時に贈与を受けた財産を贈与者の相続財産に加えて相続税を計算する。

（注）　令和6年以降の贈与は，年間110万円の基礎控除があります。

3．令和6年1月1日以降の贈与制度まとめ

　前述したように，令和6年1月1日以降の贈与では暦年課税の生前贈与加算期間は7年に延長され，また相続時精算課税にも新たに年110万円の基礎控除が設けられました。

　改正後の暦年課税と相続時精算課税を比較すると下記の表のようになります。太字・下線箇所が改正のあった項目です。

改正後の暦年課税と相続時精算課税の比較
（令和 6 年 1 月 1 日以降の贈与が対象）

①暦年課税		←選択制→	②相続時精算課税
一般贈与	特例贈与		
誰でも可	受贈者の直系尊属	贈与者	60歳以上の直系尊属 （特定贈与者）^(注1)
誰でも可	18歳以上の直系卑属^(注1)	受贈者	18歳以上の直系卑属^(注1, 2)
不要		届出書	相続時精算課税選択届出書
基礎控除：年間110万円 （受贈者ごと）		控除額	①**基礎控除：年間110万円** **（受贈者ごと）** ②特別控除：累積2,500万円 （特定贈与者ごと，複数年 にわたることも可）
10%〜55%の 超過累進税率	10%〜55%の超過累進税率 （一般税率より累進緩和）	税率	一律20%
基礎控除（年間110万円）以下の場合は 申告不要		贈与税の 申告	**基礎控除（年間110万円）以** **下の場合は申告不要** ただし，適用初年度は「相 続時精算課税選択届出書」 の 提出が必要
①相続開始前 **7 年**以内の贈与財産（贈与時 の相続税評価額）のみ相続財産に加算 **② 3 年超 7 年**以内の贈与は合計**100万円** **まで加算なし**		贈与者の 相続時	相続時精算課税を適用した 全ての贈与財産（贈与時の 相続税評価額）^(注3)を相続 財産に加算
基礎控除部分（年間110万円まで）も 相続財産に加算あり			**基礎控除部分（年間110万円** **まで）は** **相続財産に加算なし**
納付済みの贈与税額を差し引いて 相続税の納付額を計算（還付なし）			納付済みの贈与税額を差し 引いて相続税の納付額を計 算（還付あり）

（注 1）　年齢は贈与があった年の 1 月 1 日における年齢です。
（注 2）　事業承継税制の特例により，特例対象受贈非上場株式等の取得をした者は，18
歳以上の直系卑属以外の者も対象になります。
（注 3）　**土地・建物が災害により一定の被害を受けた場合は，再計算します。**

４．住宅取得等資金の贈与を受けた場合の相続時精算課税の特例

相続時精算課税の特例として，住宅取得等資金の贈与を受ける場合には贈与者が60歳未満であっても，相続時精算課税を選択することができます。この特例は令和８年12月31日までの贈与に限り適用があります。

(1) 適用対象者

贈与者	祖父母または父母（年齢制限なし）
受贈者	18歳以上の直系卑属である推定相続人（孫を含む）

相続時精算課税の特例ですので，祖父母や父母からの贈与に限られますが，贈与者には年齢制限がありません。年齢の判定は贈与する年の１月１日で判定します。

(2) 適用要件

① 平成15年１月１日から令和８年12月31日までの現金贈与であること

② 以下の住宅取得等資金としての現金贈与であること

(イ) 新築住宅の建築，取得のための資金

(ロ) 住宅の新築に先行してその敷地を取得するための資金（平成23年１月１日以降の贈与）

(ハ) 一定の中古住宅（耐震基準を満たしたものに限る）の取得のための資金

(ニ) 工事費用100万円以上の一定の増改築のための資金

③ 贈与を受けた年の翌年３月15日までに一定の住宅を建築，取得，増改築すること

④ その後遅滞なく受贈者である子がその住宅に居住すること（贈与を受けた年の翌年12月31日までに居住していない場合には，相続時精算課税の適用は受けられない）

(3) 贈与税および相続税の計算

贈与税および相続税の計算は，一般の相続時精算課税と同じです。

各相続時精算課税　比較

	相続時精算課税	住宅取得等資金の 相続時精算課税の特例
概　　要	親から子への贈与について，2,500万円までは贈与税をゼロとする。ただし，親が死亡した場合には，贈与された財産を相続財産に持ち戻して相続税を計算。その際支払った贈与税があれば相続税から差し引く。	同左
特別控除額	2,500万円	同左
贈　与　者	60歳以上の祖父母または父母	祖父母または父母(年齢制限なし)
受　贈　者	18歳以上の子や孫	同左
適用対象となる贈与財産	財産の種類に制限なし	新築住宅，および一定の耐震基準を満たした既存住宅で床面積40㎡以上の家屋の取得のための現金
		住宅の新築(住宅取得等資金の贈与の年の翌年3月15日までに行われるものに限る)に先行してその敷地を取得するための現金(平成23年1月1日以降)
		工事費用100万円以上かつ増改築等後の床面積40㎡以上の増改築等のための現金
相続税の計算上の取扱い	住宅取得等資金の贈与税の非課税の適用を受けたもの以外は，相続財産に持ち戻し(注)。ただしこの制度に係る，すでに支払った贈与税は相続税額から控除	
適用期限	期限なし	令和8年12月31日

(注)　令和6年以降の贈与は，年間110万円の基礎控除額を控除した後の金額です。

5. 住宅取得等資金の贈与税の非課税制度

相続時精算課税を選択する場合も，暦年課税の場合と同じように，住宅取得等資金の贈与税の非課税制度の適用を受けることができます（第6章第7節2.参照）。

制度の内容は暦年課税の場合と同様で，相続時精算課税の適用を受けている者（受贈者）が合計所得金額2,000万円以下である場合に，その者の特別贈与者である直系尊属から，一定の要件を満たすマイホームの購入資金・増改築資金の贈与を受けた場合には，2,500万円の特別控除とは別に，「住宅取得等資金の贈与税の非課税制度」の適用を受けることができます。つまり，相続時精算課税との重複適用が可能ということです。非課税となる贈与金額や詳しい適用要件については146ページ（第6章第7節2.）をご参照ください。

住宅取得等資金の贈与税の非課税の適用を受けたマイホームの購入資金・増改築資金については，相続税の計算上，相続財産に持ち戻す必要はありません。

なお，「4. 住宅取得等資金の相続時精算課税の特例」を併用することで，60歳未満の祖父母や父母からの贈与についても，住宅取得等資金の贈与税の非課税と相続時精算課税を同時に受けることができます。

6. その他相続時精算課税に関連する制度

(1) 納税猶予制度

平成29年度税制改正で，納税猶予の適用を受ける自社株式の贈与についても相続時精算課税の適用を受けることができるようになり，さらに平成30年度税制改正では，直系尊属でない60歳以上の贈与者から，18歳以上の後継者への自社株式の贈与についても，一定の要件を満たせば相続時精算課税の対象になっています（詳しくは，第9章第3節を参照）。

また令和元年度税制改正では個人の事業用資産についての納税猶予制度が設けられましたがこちらも相続時精算課税の選択が可能です（詳しくは，204ページを参照）。

⑵　贈与財産が災害により被害を受けた場合

　相続発生時に相続財産に加算する贈与財産の評価額は贈与時の評価額となりますが，令和 5 年度税制改正により，相続時精算課税により贈与を受けた土地・建物が，令和 6 年 1 月 1 日以後の災害により一定の被害を受けた場合には，贈与時の評価額ではなく一定の方法により再評価した金額を相続財産に加算することとなりました。

『第9章』
非上場株式等についての相続税・贈与税の納税猶予および免除制度（事業承継税制）

第1節　制度の概要

1．基本的考え方

　中小企業の経営者の高齢化が進んでいる近年，中小企業の経営者に相続が発生した場合に，企業が行う事業そのものの継続に支障が生じることがないようにすることが日本経済の大きな課題となっていました。

　そこで平成20年9月に，中小企業の事業承継の円滑化を図ることを目的として，「中小企業経営承継円滑化法」が制定されました。

　この法律に基づき，平成21年度税制改正により創設されたのが，「非上場株式等についての相続税・贈与税の納税猶予および免除制度」です。

　この制度は，一定の未上場会社のオーナー経営者から，後継者が自社株を相続（または贈与）により取得する場合，事業の継続等一定の要件を満たすことを条件に，相続税の一部（または贈与税の全部）の納税を猶予し，その後に要件を満たした場合には，最終的に猶予税額が免除される，という制度です。

　事業承継を円滑に進めるためには，「後継者に経営権を集中させること」が不可欠ですが，オーナー経営者から後継者が議決権株式の全部を引き継ぐには多額の相続税（または贈与税）がかかります。そこで，一定要件のもとで当該相続税（または贈与税）の納税を猶予し，次の後継者に対する事業承継まで無事に経

営責任を果たした場合には猶予税額そのものを免除する，というものです。

　中小企業のオーナー経営者にとって，自社株に係る相続税負担は，優良企業であればあるほど深刻な問題ですから，この制度は後継者の自社株に係る相続税負担軽減策として非常に期待されています。しかしながら，適用要件を満たさないこととなった場合には，猶予された税額に加えて利子税の納付も求められることになるなど，納税猶予の適用を受けた後継者は会社経営を行うにあたりさまざまな制約も課されることになります。

　したがって，本制度の適用にあたっては，適用後に課される要件等をクリアできるどうかを含めて十分に検討する必要があります。

　ここでは，制度の内容・手続きとともに，適用対象会社，適用対象者，主な適用要件を中心に説明します。

　また，平成30年度税制改正によって，令和9年12月31日までの相続もしくは遺贈または贈与に限定した時限措置として，各種要件や猶予税額等が大幅に緩和された「納税猶予および免除の特例」制度が創設されました。この特例制度の詳細は後述の第4節にて詳しく記載します。

2．対象となる会社

　対象となる会社は，次の表に示される会社（中小企業者）で，さらに一定要件（①，②）を満たす会社です。

中小企業経営承継円滑化法および同法施行令に基づく中小企業者

業　種		資本金の額または出資の総額	または	従業員数
製造業・建設業・運輸業その他	ゴム製品製造業（注）	３億円以下		900人以下
	上記以外の製造業・建設業・運輸業その他	３億円以下		300人以下
卸売業		１億円以下		100人以下
小売業		５千万円以下		50人以下
サービス業	ソフトウェア業 情報処理サービス業	３億円以下		300人以下
	旅館業	５千万円以下		200人以下
	上記以外のサービス業	５千万円以下		100人以下

(注)　自動車または航空機用タイヤおよびチューブ製造業ならびに工業用ベルト製造業を除きます。

①　適用を受けようとする会社の主な要件

以下のいずれにも該当しないことが必要です。

(イ)　上場会社，医療法人などの会社法に定める会社以外の法人

(ロ)　風俗営業会社（風営法２条５項に規定する営業を行う会社に限る。以下，本章において同じ）

(ハ)　資産保有型会社または資産運用型会社（いわゆる資産管理会社と呼ばれる類型の会社が該当するが，一定の要件に該当する事業実態があると認められる会社は除かれる）

(ニ)　総収入金額（主たる事業から生じるものに限る）がゼロの会社，常時使用する従業員数がゼロの会社

②　子会社の主な要件

その会社およびその会社の同族関係者が，上場会社，風俗営業会社，大

会社（会社であって中小企業者以外のもの）に該当する会社の議決権を50％超所有している場合にも適用が受けられません。

第2節　非上場株式等についての相続税の納税猶予および免除制度

1．概　　要

後継者である相続人等が，相続等により非上場会社の株式等を取得し，事業継続等一定の要件を満たす場合には，当該株式等（一定の部分に限られる）に係る課税価格の80％に対応する相続税の納税が猶予され，後継者の死亡等の一定の事由に該当する場合には，猶予税額が免除されます。

相続税の納税猶予および免除制度の流れ

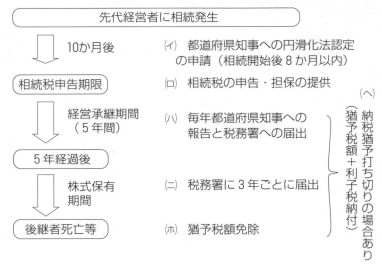

2．適用を受けるための要件・手続き

(1)　相続開始から相続税申告期限までの手続き・要件

①　円滑化法認定

この制度の適用を受ける場合には，相続開始の日の翌日から8か月以内に，適用要件を満たしていることについて，都道府県知事に「認定申請書」を提出し，「認定」を受ける必要があります。

「会社」の要件については，183ページをご参照ください。

②　後継者である相続人等の主な要件

後継者である相続人等は，次に掲げるすべての要件を満たす必要があります。

(イ)　認定承継会社の非上場株式等を相続等により取得した個人であること

(ロ)　相続開始日から5か月経過後において当該会社の代表者であること

(ハ)　相続開始時において，後継者と同族関係者で総議決権数の50％超を保有し，かつ，同族内で筆頭株主であること

(ニ)　相続開始直前において当該会社の役員であること（先代経営者である被相続人が70歳未満で死亡した場合を除く）

③　先代経営者である被相続人の主な要件

先代経営者である被相続人は，以下の要件をすべて満たしている必要があります。

(イ)　相続開始前において被相続人と同族関係者で総議決権数の50％超を保有し，かつ，同族内で筆頭株主であり，さらに会社の代表者であったこと（相続開始直前においては代表者でなくてもよい）

(ロ)　相続開始直前において被相続人と同族関係者で総議決権数の50％超を保有し，かつ，同族内（後継者を除く）で筆頭株主であったこと

また，先代経営者と併せて先代経営者以外の複数の株主（親族外の株主も含む）からの相続または遺贈も納税猶予の対象となります。先代経営者以外の株主からの相続または遺贈については，先代経営者からの承継の日以後，その承継に係る都道府県知事の認定の有効期限（その承継に係る相続税

または贈与税の申告期限の翌日から5年を経過する日）までに申告期限が到来する相続または遺贈である必要があります。

④ 相続税申告と担保提供

この制度の適用を受ける場合には，相続税の申告期限（相続開始の日の翌日から10か月以内）までに，制度の適用を受ける旨を記載した相続税申告書および一定の書類を提出するとともに，納税が猶予される相続税額および利子税の額に見合う担保を提供しなければなりません。この「担保提供」については，制度の適用を受ける非上場株式等の全部（株券不発行会社にあっては，質権設定承諾書等）を担保として提供すれば，納税猶予額および利子税の額に見合う担保提供があったものとみなされます。

また，申告期限までに適用を受けようとする非上場株式等について遺産分割が成立していない場合には，適用を受けることはできません。

⑤ 納税が猶予される相続税額

先代経営者から相続した非上場株式等のうち，後継者本人がすでに保有していた非上場株式等を含めて，後継者の議決権割合が3分の2に達する

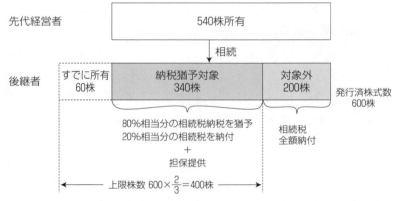

までの部分に係る課税価格の80％に対応する相続税について，納税が猶予されます。

例えば，発行済株式数600株，後継者はすでに60株所有，先代経営者から540株を後継者が相続した場合に，納税猶予の対象となる株式数は以下

のようになります。

3．納税猶予期間中の取扱い

(1)　経営承継期間の取扱い

　この相続税の納税猶予および免除制度は，そもそも後継者が事業を継続することを条件に認められているものです。したがって，相続税申告期限の翌日からの5年間は，「経営承継期間」と定められ，申告期限の翌日から1年ごとに，税務署長に「継続届出書」を提出することと都道府県知事に「事業継続報告書」を提出することが義務づけられます。

　提出を怠った場合や打ち切り事由に該当することが判明した場合（189ページ参照）には，納税猶予は打ち切られてしまうことになり，猶予税額全額と利子税を納付しなければならないことになりますので，注意が必要です。

　経営承継期間中に後継者が守らなければならない主な要件は次のとおりです。

【経営承継期間中に後継者が守るべき主な要件】

①　後継者が代表権を有し続けること（身体障害等による場合を除く）

②　常時使用する従業員数の5年間の平均が当初の8割（端数切捨て）を維持していること

③　上場会社，風俗営業会社に該当しないこと

④　資産保有型会社または資産運用型会社に該当しないこと（例外規定あり）

⑤　後継者と同族関係者で総議決権数の50％超を保有し続けること

⑥　後継者が同族内で筆頭株主であり続けること

⑦　総収入金額（主たる事業から生じるものに限る）がゼロでないこと

⑧　納税猶予の対象株式等を保有し続けること

(2)　経営承継期間経過後（株式保有期間）の取扱い

　経営承継期間を経過した後（相続税申告期限の翌日から5年経過後）は，以後猶予税額が免除されるまで，株式保有期間が続きます。すなわち，後継者は，猶予税額免除となるまで納税猶予の対象となった非上場株式等を保有し続けること，資産保有型会社等に該当しないこと等の要件を引き続き満たし続ける必要

があります。

　また，経営承継期間経過後からは，都道府県知事への報告義務はなくなり，経営承継期間末日の翌日から３年ごとに税務署長に「継続届出書」を提出しなければなりません。提出を怠った場合や要件を満たさないこととなった場合には，やはり納税猶予打ち切りとなってしまいます（打ち切りになる要件は189ページ参照）。

４．納税猶予額の免除

　相続税の納税猶予および免除制度の適用を受けた場合において，次に掲げる事由に該当することとなった場合には，一定の期間内に「免除届出書」または「免除申請書」を所轄税務署長に提出することにより，猶予税額の全部または一部が免除されることとなります。

猶予税額の主な免除事由

| 主な免除事由 | ①後継者（相続人）が死亡した場合
②経営承継期間（５年間）内に，後継者が身体障害等のやむをえない理由により代表権を有しないこととなり，納税猶予制度の適用を受けた非上場株式を，贈与税の納税猶予および免除制度の適用を受ける「次の後継者」に贈与した場合
③経営承継期間（５年間）経過後，納税猶予制度の適用を受けた非上場株式を贈与税の納税猶予および免除制度の適用を受ける「次の後継者」に贈与した場合
④経営承継期間（５年間）経過後，会社が破産または特別清算した場合（別途要件あり）
⑤経営承継期間（５年間）経過後に，後継者が納税猶予制度の適用を受けた非上場株式等の全部を一定の者に一括譲渡し，その譲渡価額または時価のいずれか高い価額が納税猶予額を下回る場合等 |

「免除申請書」または「免除届出書」の提出 ⇒ 猶予税額の全部または一部の免除

5．納税猶予打ち切りと猶予税額および利子税の納付

　相続税の納税猶予および免除制度の適用を受けた場合において，次に掲げる
事由に該当することとなった場合には，納税猶予は打ち切られ，猶予されてい
た相続税額の全部または一部と申告期限の翌日から納税猶予期限までの期間に
相当する利子税(特例基準割合が0.9％の場合，年0.4％)を納付しなければなりませ
ん。なお，経営承継期間経過後における打ち切りの場合には，経営承継期間分
の利子税は免除されます。

納税猶予の主な打ち切り事由と猶予税額の納付

納税猶予の主な打ち切り事由	経営承継期間内（申告期限後5年以内）	経営承継期間経過後（申告期限から5年経過後）
①後継者が会社の代表者でなくなった場合（身体障害等による場合を除く）	全額納付	納税猶予継続
②常時使用する従業員数の5年間の平均が当初の8割（端数切捨て）以上を維持できなかった場合	全額納付	納税猶予継続
③納税猶予の対象となった非上場株式を保有し続けなくなった場合（一部譲渡等する場合も含む）	全額納付	譲渡等した株式に対応する部分の猶予税額を納付
④会社が資産保有型会社または資産運用型会社に該当した場合（例外規定あり）	全額納付	全額納付
⑤後継者と同族関係者が保有する総議決権数が50％以下となった場合	全額納付	納税猶予継続
⑥後継者が同族内で筆頭株主でなくなった場合	全額納付	納税猶予継続
⑦総収入金額（主たる事業から生じるものに限る）がゼロになった場合	全額納付	全額納付

第3節　非上場株式等についての贈与税の納税猶予および免除制度

1．概　　要

　後継者である受贈者が，先代経営者からの一括贈与により非上場会社の株式等を取得し，事業継続等一定の要件を満たす場合には，当該株式等（一定の部分に限られる）にかかる課税価格に対応する贈与税の納税が猶予され，後継者の死亡等の一定の事由に該当する場合には，猶予税額が免除されます。

　また，この制度の適用を受けた場合には，先代経営者（贈与者）が死亡した場合の相続税申告において，その後継者が相続等により新たに取得した非上場株式等（この制度の適用を受けた非上場株式等と同じ銘柄の株式等）について，「相続税の納税猶予および免除制度」の適用を受けることはできません。

贈与税の納税猶予および免除制度の流れ

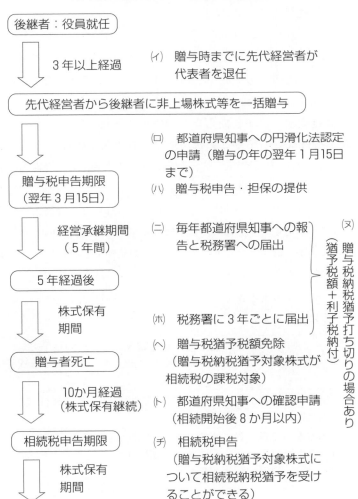

後継者：役員就任

３年以上経過　　（イ）　贈与時までに先代経営者が
　　　　　　　　　　　　　　代表者を退任

先代経営者から後継者に非上場株式等を一括贈与

（ロ）　都道府県知事への円滑化法認定
　　　　の申請（贈与の年の翌年１月15日
　　　　まで）

贈与税申告期限
（翌年３月15日）　　（ハ）　贈与税申告・担保の提供

経営承継期間　（ニ）　毎年都道府県知事への報
（５年間）　　　　　　　告と税務署への届出

５年経過後

株式保有
期間　　　（ホ）　税務署に３年ごとに届出

（ヘ）　贈与税猶予税額免除
　　　　（贈与税納税猶予対象株式が
　　　　相続税の課税対象）

贈与者死亡

10か月経過
（株式保有継続）　（ト）　都道府県知事への確認申請
　　　　　　　　　　　　　（相続開始後８か月以内）

相続税申告期限　　（チ）　相続税申告
　　　　　　　　　　　　　（贈与税納税猶予対象株式に
株式保有　　　　　　　ついて相続税納税猶予を受け
期間　　　　　　　　　ることができる）

後継者死亡等　　　（リ）　相続税猶予税額免除

（ヌ）　贈与税納税猶予打ち切りの場合あり
（猶予税額＋利子税納付）

２．適用を受けるための要件・手続き

(1) 非上場株式等贈与前における手続き

「相続税の納税猶予および免除制度」との違いにおいて重要なことは，非上場株式等の贈与を受ける後継者が贈与時において役員就任から３年以上経過していることと，贈与者である先代経営者が贈与時までに代表者を退任しなければならない，ということです。

(2) 贈与実行後贈与税申告期限までの手続き・要件

① 非上場株式等の贈与と納税が猶予される贈与税額

この制度は，先代経営者である贈与者が，後継者に非上場株式等を「一括贈与」することが要件です。

適用を受けるために一括贈与しなければならない非上場株式等の数および納税猶予の対象となる株式等の限度数については，以下のとおり定められていますが，対象となる非上場株式等に対応する贈与税については，その全額の納税が猶予されます。

なお，いわゆる暦年課税贈与によるほか，相続時精算課税贈与によるものも対象になります。

		贈与者が一括贈与しなければならない非上場株式等の数	納税猶予の対象となる非上場株式等の限度数
イ	**(A)＋(B)が発行済株式数の2/3以上である場合**	発行済株式数×2/3－(B)以上	発行済株式数×2/3－(B)
ロ	**(A)＋(B)が発行済株式数の2/3に満たない場合**	贈与者が贈与直前に保有する非上場株式等すべて	同左

（A）…先代経営者（贈与者）が贈与直前に保有する非上場株式等の数
（B）…後継者（受贈者）が贈与前から保有する非上場株式等の数

例えば，発行済株式数600株，後継者がすでに60株所有，先代経営者が所有する540株全部を一括贈与した場合に，納税猶予の対象となる株式数は以下のようになります。

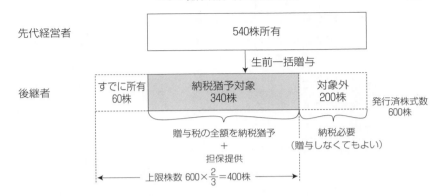

②　円滑化法認定

この制度の適用を受ける場合には，贈与した年の翌年1月15日までに適用要件を満たしていることについて，都道府県知事に「認定申請書」を提出し，「認定」を受ける必要があります。

「会社」の適用要件は，183ページを参照してください。

③　後継者である受贈者の主な要件

後継者である受贈者は，次に掲げるすべての要件を満たす必要があります。

(イ)　認定贈与承継会社の非上場株式等を贈与により取得した個人であること

(ロ)　贈与の時以後において会社の代表者であること

(ハ)　贈与の時において18歳以上であること

(ニ)　贈与の時において役員等の就任から3年以上経過していること

(ホ)　贈与直後において，後継者と同族関係者で総議決権数の50％超を保有し，かつ，同族内で筆頭株主であること

④　先代経営者である贈与者の主な要件

先代経営者である贈与者は，以下の要件をすべて満たしている必要があります。

(イ)　贈与前において贈与者と同族関係者で総議決権数の50％超を保有し，かつ，同族内で筆頭株主であり，さらに会社の代表者であったこと

(ロ)　贈与時までに会社の代表者を退任すること

(ハ)　贈与の直前において贈与者と同族関係者で総議決権数の50％超を保有し，かつ，同族内（後継者を除く）で筆頭株主であったこと

また，先代経営者と併せて先代経営者以外の複数の株主（親族外の株主も含む）からの贈与も納税猶予の対象となります。先代経営者以外の株主からの贈与については，先代経営者からの承継の日以後，その承継に係る都道府県知事の認定の有効期限（その承継に係る相続税または贈与税の申告期限の翌日から5年を経過する日）までに申告期限が到来する贈与である必要があります。

⑤　贈与税申告と担保提供

申告の手続きおよび担保提供については，「相続税の納税猶予および免除制度」とまったく同じ取扱いです（186ページ参照）。

この制度の適用を受ける場合には，贈与税の申告期限（贈与の年の翌年3月15日）までに，制度の適用を受ける旨を記載した贈与税申告書および一定の書類を提出するとともに，納税が猶予される贈与税額および利子税の額に見合う担保を提供する必要がありますが，制度の適用を受ける非上場株式等の全部（株券不発行会社にあっては，質権設定承諾書等）を担保として提供すれば，納税猶予額および利子税の額に見合う担保提供があったものとみなされることになっています。

3．納税猶予期間中の取扱い

(1)　経営承継期間の取扱い

「贈与税の納税猶予および免除制度」も，後継者が事業を承継するにあたり自

社株に係る税負担が事業継続に支障をきたすことがないように設けられている
制度です。

したがって，「贈与税の納税猶予および免除制度」の適用を受ける場合においても，納税の猶予が認められる代わりに，贈与税申告期限後の5年間は，「経営承継期間」としてさまざまな要件を満たす必要があります。また，経営承継期間経過後も株式保有期間が続く，ということも「相続税の納税猶予および免除制度」と同様です。

経営承継期間における必要な手続きとしては，「相続税の納税猶予および免除制度」と同様に，申告期限の翌日から1年ごとの税務署長に対する「継続届出書」の提出と，都道府県知事に対する「事業継続報告書」の提出です。

提出を怠った場合や打ち切り事由に該当することが判明した場合には，納税猶予は打ち切られてしまうことになるのも「相続税の納税猶予および免除制度」と同様です。

経営承継期間中に後継者が守らなければならない主な要件は次のとおりです。

【経営承継期間中に後継者が守るべき主な要件】

①　後継者が代表権を有し続けること（身体障害等による場合を除く）

②　常時使用する従業員数の5年間の平均が当初の8割（端数切捨て）を維持していること

③　上場会社，風俗営業会社に該当しないこと

④　資産保有型会社または資産運用型会社に該当しないこと（例外規定あり）

⑤　後継者と同族関係者で総議決権数の50％超を保有し続けること

⑥　後継者が同族内で筆頭株主であり続けること

⑦　総収入金額（主たる事業から生じるものに限る）がゼロでないこと

⑧　納税猶予の対象株式等を保有し続けること

(2)　経営承継期間経過後（株式保有期間）の取扱い

「相続税の納税猶予および免除制度」の適用を受けている場合と概ね同様です。

後継者は，経営承継期間経過後も，猶予税額免除となるまで納税猶予の対象

となった非上場株式等を保有し続けること，資産保有型会社等に該当しないこと等の要件を引き続き満たし続ける必要があります。

　また，経営承継期間経過後3年ごとに，税務署長に「継続届出書」を提出することも同様です。提出を怠った場合や要件を満たさないこととなった場合には，やはり納税猶予打ち切りとなってしまいます。

4．猶予税額の免除

　「贈与税の納税猶予および免除制度」の適用を受けた場合において，次に掲げる事由に該当することとなったときには，一定の期間内に「免除届出書」または「免除申請書」を所轄税務署長に提出することにより，猶予税額の全部または一部が免除されることとなります。

猶予税額の主な免除事由

主な免除事由
①先代経営者（贈与者）が死亡した場合

②先代経営者の死亡以前に後継者が死亡した場合
③経営承継期間（5年間）内に，後継者が身体障害等のやむをえない理由により代表権を有しないこととなり，納税猶予制度の適用を受けた非上場株式を，贈与税の納税猶予および免除制度の適用を受ける「次の後継者」に贈与した場合
④経営承継期間（5年間）経過後，納税猶予制度の適用を受けた非上場株式を贈与税の納税猶予および免除制度の適用を受ける「次の後継者」に贈与した場合
⑤経営承継期間（5年間）経過後，会社が破産または特別清算した場合（別途要件あり）
⑥経営承継期間（5年間）経過後に，後継者が納税猶予制度の適用を受けた非上場株式等の全部を一定の者に一括譲渡し，その譲渡価額または時価のいずれか高い価額が納税猶予額を下回る場合等

猶予税額の全部または一部の免除

「免除届出書」
または
「免除申請書」
の提出

納税猶予の対象となった非上場株式等は相続税の課税対象になる（200ページ参照）

5．納税猶予打ち切りと猶予税額および利子税の納付

　要件を満たさなくなった場合や届出書の提出を怠った場合には，納税猶予額の全部または一部と利子税を納付する必要があること等，納税猶予が打ち切りになるケースは，「相続税の納税猶予および免除制度」とおおむね同様です。

　「贈与税の納税猶予および免除制度」の適用を受けた場合において，189ページに掲げる事由に該当することとなった場合には，納税猶予は打ち切られ，猶予されていた贈与税額の全部または一部と申告期限の翌日から納税猶予期限までの期間に相当する利子税（特例基準割合が0.9％の場合，年0.4％）を納付しなけ

ればなりません。なお，経営承継期間経過後における打ち切りの場合には，経営承継期間分の利子税は免除されます。

打ち切り事由と猶予税額納付の関係については，189ページを参照してください。

6. 先代経営者（贈与者）が死亡した場合の取扱い

(1) 相続税申告期限までの手続き

① 贈与税の免除と相続税の課税

後継者が「贈与税の納税猶予および免除制度」の適用を受けていた場合において，贈与者（先代経営者）が死亡したときには，後継者の猶予されていた贈与税は免除されます。

ただし，贈与税の納税猶予の対象となった非上場株式等は，贈与者の相続税の計算において，贈与者から後継者が相続等により取得したものとみなされて相続税の課税対象となり，「相続税の納税猶予および免除制度」適用を受けることができます。このとき，当該非上場株式等の価額は，贈与時の価額により相続財産に合算されます。

なお，後継者が贈与者から相続または遺贈により新たに取得した当該非上場株式等と同じ銘柄の株式等については，「相続税の納税猶予および免除制度」の適用を受けることはできません。

② 「相続税の納税猶予および免除制度」の適用を受ける場合……都道府県知事の確認

①において相続等により取得したものとみなされた非上場株式等について，「相続税の納税猶予および免除制度」の適用を受ける場合には，当該会社，後継者（相続人等）が制度の適用要件を満たしていることについて，先代経営者（贈与者＝被相続人）の相続開始の日の翌日から8か月以内に都道府県知事に確認申請書を提出し，「確認」を受ける必要があります。

なお，当該会社の要件から中小企業者であること，および上場会社でないこととする要件は除かれています。

③　相続税申告と担保提供

　①において相続等により取得したものとみなされた非上場株式等について，「相続税の納税猶予および免除制度」の適用を受ける場合には，その適用を受ける旨を記載した相続税申告書と一定の書類を提出するとともに，納税が猶予される相続税額および利子税の額に見合う担保を提供しなければなりません（186ページと同様）。

④　納税が猶予される相続税額

　相続等により取得したものとみなされた非上場株式等のうち，贈与直前に後継者本人がすでに保有していた非上場株式等を含めて，相続時における後継者の議決権割合が3分の2に達するまでの部分にかかる課税価格の80％に対応する相続税について，納税が猶予されます。

　したがって，贈与時において贈与税の全額について納税猶予の適用を受けた場合でも，相続時においては，課税価格の20％に対応する相続税については納税が生じることとなります。

(2)　相続税申告期限後の取扱い

　(1)①において相続等により取得したものとみなされた非上場株式等について「相続税の納税猶予および免除制度」の適用を受ける場合において，後継者が「贈与税の納税猶予および免除制度」の適用における「経営承継期間」の要件をすでにクリアしているときは，相続税申告期限後は，当該株式の継続保有などの要件（187ページ参照）を満たすだけでよいこととなります。

　また，贈与税の申告期限後，経営承継期間中に，贈与者（先代経営者）に相続が発生した場合において，相続等により取得したものとみなされた非上場株式等について引き続き「相続税の納税猶予および免除制度」の適用を受けるときは，当初の経営承継期間が終了するまで，後継者は毎年書類の提出義務があり，経営承継期間におけるさまざまな要件（188ページ参照）を満たしておく必要があります。

　なお，贈与者の相続税申告において，相続等により取得したものとみなされた非上場株式等について「相続税の納税猶予および免除制度」の適用を受けず

に，相続税の申告期限までに後継者が相続税を全額納付した場合には，相続税申告期限後において，後継者が一切経営上の制約を受けることがなくなるのは言うまでもありません。

第4節　相続税・贈与税の納税猶予および免除の特例

1．概　　要

　平成30年度税制改正により，令和9年12月31日までの相続もしくは遺贈または贈与に限定した時限措置として，各種要件や猶予税額等が大幅に緩和された「納税猶予および免除の特例」制度が創設されました。この特例制度は既存の「納税猶予および免除」制度と併存する形で創設され，一定の要件を充足した場合に限り既存制度との選択適用を可能とするものです。

　特例制度の適用を受けるためには，原則として事前に特例承継計画を策定して都道府県知事へ提出する等の手続きが必要となります。

　以下においては，その手続きの概要と，既存制度と特例制度との対比について述べていきます。

2．特例制度を受けるための手続き

　特例制度の適用を受けるためには，原則として相続もしくは遺贈または贈与の時までに特例承継計画を策定して都道府県知事に提出する必要があります。特例承継計画とは事業承継に係る先代経営者や後継者の氏名の他，承継前後における会社の経営計画などを記載するものであり，その策定にあたり認定経営革新等支援機関による指導・助言を受けてその所見等の記載を受ける必要があります。また，この特例承継計画の内容に重大な変更が生じた場合には，計画変更の申請手続きが可能です。

　この特例承継計画は令和8年3月31日まで提出が可能とされており，特例制度そのものの施行期間とは異なるため注意が必要です。

　その他，相続もしくは遺贈または贈与後に都道府県知事の認定を受けることや，納税猶予開始後に都道府県知事へ年次報告書を提出することおよび税務署長へ継続届出書を提出することなどは，既存制度と同様です。

3．既存制度と特例制度の対比

(1)　納税猶予対象株式の範囲の拡大

　既存制度においては発行済議決権総数の3分の2が納税猶予の対象となる株式数の上限ですが，特例制度ではこの上限が撤廃されており，すべての株式が納税猶予の対象となります。

(2)　納税猶予税額の拡大

　相続税の納税猶予税額について，既存制度では対象株式に係る課税価格の80パーセントに対応する相続税額が上限ですが，特例制度ではこの上限が撤廃されており，対象株式に係る相続税額の全額が納税猶予の対象となります。

(3)　承継者の範囲の拡大

　既存制度においては納税猶予の適用を受ける後継者は1人に限られていますが，特例制度においては最大3名の代表権を有する者への承継が納税猶予の対象となります。これら3名の者はそれぞれ発行済議決権総数の10パーセント以上を有し，かつ議決権割合で上位1～3番目（2名の場合には1～2番目）であることが必要です。

　これにより，兄弟での共同承継といったニーズへの対応が可能となります。

(4)　旧株主の範囲の拡大

　既存制度においては納税猶予の対象は先代経営者一人からの承継に限られていますが，特例制度においては先代経営者と併せて先代経営者以外の複数の株主（親族外の株主も含む）からの承継も納税猶予の対象となります。先代経営者以外の株主からの承継については，先代経営者からの承継の日以後，その承継に係る都道府県知事の認定の有効期限（その承継に係る相続税または贈与税の申告期限の翌日から5年を経過する日）までに申告期限が到来する相続もしくは遺贈または贈与である必要があります。

これにより，先代経営者の配偶者などからの承継の他，前述の承継者の範囲の拡大と併せて複数から複数への承継も納税猶予の対象となります。

(注) この改正は，平成30年1月1日以降の相続もしくは遺贈または贈与については既存制度にも反映されています。

(5) 雇用維持要件の緩和

既存制度においては5年間の平均で当初従業員数の80パーセントを維持できないと納税猶予が打ち切りとなりますが，特例制度においてはこの80パーセントを維持できなかった場合にあっても，その維持できなかった理由などを記載した一定の書類を都道府県知事に提出することにより納税猶予が継続されます。その維持できなかった理由が経営状況の悪化などである場合にあっては，認定経営革新等支援機関の指導・助言を受けその意見を記載した書類の添付が必要となります。

これにより，雇用維持要件の未達成による納税猶予打ち切りへの懸念が大幅に緩和されることとなります。

(6) 役員就任要件の緩和

相続税の納税猶予について，既存制度では後継者が相続開始の直前において役員であることが必要（先代経営者が70歳未満で死亡した場合を除く）ですが，特例制度においては相続開始前に確認を受けた特例承継計画に後継者として記載されている場合にはこの役員であることは必要なくなります。

(7) 譲渡等の場合の納税猶予税額の減免措置

企業の経営においては，経営環境の変化等により解散による自主廃業やM&A による第三者譲渡などを余儀なくされることもあり得ます。これらの事象は納税猶予の打切事由に該当しますが，その際に株価が下落している場合であっても原則として承継時の株価に基づく当初の納税猶予税額の納付が求められます。

この点に関しては既存制度においても一定の救済措置が手当てされていますが，特例制度においてはさらに充実した救済制度が創設されることとなりました。

　即ち，相続税または贈与税の申告期限の翌日から5年経過後において経営環境の変化を示す一定の事由が生じ株価が下落している場合にあっては，その解散時の株価や譲渡時の譲渡対価の額等に基づき納税猶予税額を再計算し，当初の納税猶予税額との差額を免除するというものです。

　一定の事由とは，直前3事業年度のうち2事業年度以上が赤字であったり売上が前事業年度割れであったことなどが挙げられます。

　なお，租税回避防止の観点から解散や譲渡等の前5年間に後継者およびその同族関係者に支払われた配当および過大役員給与等相当額は納付すべき税額に加算されます。

　これにより，業績悪化に伴う過度の税負担への懸念が大幅に緩和されることとなります。

(8)　相続時精算課税制度の適用対象者の拡大

　既存制度においても相続時精算課税制度を用いて贈与税の納税猶予税額を算定することが可能であり，その対象となる取引は「贈与年の1月1日において60歳以上の父母または祖父母から，18歳以上の子または孫への贈与」に限ることとされています。

　特例制度においてはこの子または孫への贈与に限ることとする要件を緩和し，子または孫以外の18歳以上の後継者への贈与も対象とすることとされました。

　これにより，相続時精算課税制度の適用により税負担のリスクを軽減しつつ納税猶予の適用を受けることができる場面が広がることとなります。

第5節　個人の事業用資産についての相続税・贈与税の納税猶予および免除制度

　本章では法人形態で事業を行っている場合における非上場株式等についての相続税・贈与税の納税猶予および免除制度について述べてきましたが，令和元年度税制改正により個人として事業を行っている場合における個人の事業用資産についての相続税・贈与税の納税猶予および免除制度が創設されました。平成31年1月1日から令和10年12月31日までの間の相続等および贈与につき適用されます。制度の概略は非上場株式等についての相続税・贈与税の納税猶予および免除制度と概ね同様です。

　対象となる事業用資産は土地，建物，その他一定の減価償却資産であり，不動産貸付事業等の用に供するものを除きます。また，この制度の適用を受けた事業用資産を現物出資して法人を設立した場合には，一定要件の元で納税猶予を継続する取扱いがあります。なお，この制度の適用を受ける場合には特定事業用宅地等に係る小規模宅地等の課税価格の計算の特例を受けることができないため，注意が必要です。

『第10章』
相続税の計算
ケーススタディ

次の 資料1 から 資料4 を使って，実際に相続税を計算してみましょう。

計算の手順は，以下のとおりです。

① 法定相続人と法定相続分を確認します。

② 被相続人の財産額を計算します。

③ 被相続人の財産額を基に相続税の総額を計算します。

④ 相続税の総額を基に，各人が遺産分割で取得した財産に対して負担すべき税額を計算します。

なお，計算にあたっては，資料に記載されている内容のみを考慮してください。

資　　料

資料1　相続人関係図

相続開始日：6年5月1日

被相続人━━━妻

長男━━妻　　　　二　男━━妻　　　　　長　女━━夫
　　　　　　　　　　（亡）

（21歳）孫A　　　孫B（16歳）　　　　　　孫C（12歳）

（注）　二男は被相続人の相続開始前に死亡しています。

資料2　財　産　一　覧

種　類	細　目	利用区分，銘柄等	相続税評価額	相続する人	留意点
土　地	宅　地（400㎡）	自用地（自宅敷地）	100,000千円	妻	（注1）
	宅　地（500㎡）	自用地（未利用）	75,000千円	長男	
家　屋	家　屋	自用家屋（自宅）	31,000千円	妻	
預貯金		普通預金	50,000千円	長男	
		定期預金	120,000千円	妻　$\frac{1}{2}$　孫A，B各$\frac{1}{4}$ずつ	
有価証券	上場株式	××建設㈱	51,000千円	長女	
	公社債	国債	25,000千円	孫A，B各$\frac{1}{2}$ずつ	
その他	死亡保険金		50,000千円	妻　　30,000千円　長女　20,000千円	（注2）
	死亡退職金		35,000千円	妻	（注2）
	家財一式		1,000千円	妻	

（注1）　相続税評価額は，小規模宅地等の課税価格の計算の特例の適用前の金額です。
（注2）　受取金額です。

資料3　生前贈与に関する資料

贈与財産	贈与年月日	贈与時の評価額	相続開始時の評価額	受贈者
上場株式	5年7月15日	10,000千円	12,000千円	長男

(注1)　この贈与に関し，長男は贈与税1,770千円を支払っています。なお，長男はこの年に他の贈与は受けていません。また，特例贈与に該当するものとします。

(注2)　生前贈与加算の対象になる被相続人からの贈与は上記表の贈与のみであるものとします。

資料4　債務および葬式費用

債務等の項目	金　額	負担する人
銀行借入金	17,000千円	長男
未払税金	3,000千円	妻
葬式費用	5,000千円	長男

(注)　葬式費用5,000千円には，香典返戻費用1,000千円が含まれています。

解　答

(注)　計算上発生する千円未満の端数は，便宜上，切り捨てています。

(1)　課税価格・課税遺産総額の計算

項　　目	計　算　過　程	相続税評価額
宅地（自宅敷地）		100,000千円
小規模宅地の評価減	$100,000千円 \times \dfrac{330㎡}{400㎡} \times 80\%$ $=66,000千円$	▲66,000千円
宅地（未利用地）		75,000千円
自 宅 家 屋		31,000千円
普 通 預 金		50,000千円
定 期 預 金		120,000千円
上 場 株 式		51,000千円
公 社 債		25,000千円
死 亡 保 険 金		50,000千円
同上の非課税金額	5,000千円×5人＝25,000千円	▲25,000千円
死 亡 退 職 金		35,000千円
同上の非課税金額	5,000千円×5人＝25,000千円	▲25,000千円
家 財 一 式		1,000千円
（課税財産　計）		422,000千円
銀 行 借 入 金		▲17,000千円
未 払 税 金		▲3,000千円
葬 式 費 用	5,000千円－1,000千円＝4,000千円	▲4,000千円
（債務・葬式費用　計）		▲24,000千円
上場株式（相続開始前7年以内の贈与財産）		10,000千円
課 税 価 格		408,000千円
基 礎 控 除 額	30,000千円＋6,000千円×5人	▲60,000千円
課 税 遺 産 総 額		348,000千円

(2)　相続税の総額の計算

①　法定相続分に応ずる各人の取得金額

法定相続人	課税遺産総額	法定相続分		法定相続分に応ずる取得金額
（　妻　）		$(\frac{1}{2})$	＝	174,000千円
（長　男）		$(\frac{1}{6})$	＝	58,000千円
（孫　A）	348,000千円　×	$(\frac{1}{12})$	＝	29,000千円
（孫　B）		$(\frac{1}{12})$	＝	29,000千円
（長　女）		$(\frac{1}{6})$	＝	58,000千円

②　各人ごとの仮定の相続税額

法定相続人	法定相続分に応ずる取得金額	税率	控除額	税額
（　妻　）	174,000千円 ×（40%）－（17,000千円）＝			52,600千円
（長　男）	58,000千円 ×（30%）－（ 7,000千円）＝			10,400千円
（孫　A）	29,000千円 ×（15%）－（ 500千円）＝			3,850千円
（孫　B）	29,000千円 ×（15%）－（ 500千円）＝			3,850千円
（長　女）	58,000千円 ×（30%）－（ 7,000千円）＝			10,400千円
			相続税の総額	81,100千円

(3)　各人の相続税額の計算

①　算出相続税額の計算

相続人	相続税の総額	取得した財産の割合	算出相続税額
（　妻　）		× 148,000千円 / 408,000千円 ＝	29,418千円
（長　男）		× 114,000千円 / 408,000千円 ＝	22,660千円
（孫　A）	81,100千円	× 42,500千円 / 408,000千円 ＝	8,447千円
（孫　B）		× 42,500千円 / 408,000千円 ＝	8,447千円
（長　女）		× 61,000千円 / 408,000千円 ＝	12,125千円

②　納付税額の計算

相続人	算出相続税額		税額控除額		納付税額
（　妻　）	29,418千円	−	29,418千円	=	0千円
（長　男）	22,660千円	−	1,770千円	=	20,890千円
（孫　Ａ）	8,447千円	−	0千円	=	8,447千円
（孫　Ｂ）	8,447千円	−	200千円	=	8,247千円
（長　女）	12,125千円	−	0千円	=	12,125千円

解　　説

1．法定相続人および法定相続分

　法定相続人は，配偶者（妻）と長男，長女，そして，本来相続人であった二男が被相続人よりも先に死亡しているため，その子（被相続人から見ると孫）が代襲相続人となりますので，孫Ａおよび孫Ｂの合計5人です。

　配偶者と子供が法定相続人となる場合，配偶者の法定相続分は$\frac{1}{2}$，子供も$\frac{1}{2}$です。なお，子供が複数いる場合は，原則として均等になりますので，子供の1人あたりの法定相続分は，$\frac{1}{2} \times \frac{1}{3} = \frac{1}{6}$となります。また，代襲相続人は本来の相続人の法定相続分を引き継ぐこととされており，代襲相続人が複数いる場合は原則として均等になりますので，孫Ａ，孫Ｂの法定相続分は$\frac{1}{2} \times \frac{1}{3} \times \frac{1}{2} = \frac{1}{12}$となります。

法定相続人	法定相続分
妻	$\frac{1}{2}$
長男	$\frac{1}{2} \times \frac{1}{3} = \frac{1}{6}$
孫Ａ	$\frac{1}{2} \times \frac{1}{3} \times \frac{1}{2} = \frac{1}{12}$
孫Ｂ	$\frac{1}{2} \times \frac{1}{3} \times \frac{1}{2} = \frac{1}{12}$
長女	$\frac{1}{2} \times \frac{1}{3} = \frac{1}{6}$

２．課税価格の計算

　被相続人から取得した財産の価額と引き継いだ債務の金額を計算し，課税価格を求めます。

(1)　財産額の計算

①　本来の相続財産

㈲　未利用の土地，家屋，預貯金，有価証券，家財一式

　これらについては，資料の金額は相続税評価額ですから，このまま課税価格の計算に使用します。

㈶　自宅敷地

　自宅敷地には小規模宅地等の課税価格の計算の特例を適用することができます。

　このケースのように，自宅敷地を配偶者が取得した場合には，特定居住用宅地等に該当しますので，330㎡までの部分について評価額の80％を相続財産から差し引くことができます。

　控除額は次の算式で計算します。

$$100,000千円 \times \frac{330㎡}{400㎡} \times 80\% = 66,000千円$$

　100,000千円から66,000千円を差し引いた後の34,000千円を相続税の課税価格に算入します。

②　みなし相続財産

㈲　死亡保険金

　死亡保険金の金額は受け取った金額ですから，ここから非課税限度額を差し引く必要があります。

　本ケースの場合，法定相続人は５人ですから，非課税限度額は以下のとおり25,000千円となります。

> **非課税限度額＝500万円×５人＝25,000千円**

　この非課税限度額は，限度額の総額ですので，次にこの限度額を実際に

受け取った死亡保険金の金額で按分して，各人が適用できる非課税限度額を計算します。

妻の非課税限度額　　　　$25,000千円 \times \dfrac{30,000千円}{30,000千円 + 20,000千円}$

$= 15,000千円$

長女の非課税限度額　　$25,000千円 \times \dfrac{20,000千円}{30,000千円 + 20,000千円}$

$= 10,000千円$

それぞれが受け取った死亡保険金の金額から，上記非課税限度額を差し引いた金額が，相続税の課税価格に算入される価額です。

㈡　**死亡退職金**

死亡退職金の金額は受け取った金額ですから，ここから非課税限度額を差し引く必要があります。

本ケースの場合，法定相続人は5人ですから，非課税限度額は以下のとおり25,000千円となります。

> **非課税限度額＝500万円×5人＝25,000千円**

なお，受取人は妻1人であるため，妻が受け取った死亡退職金から非課税限度額の全額が控除されます。

(2)　債務および葬式費用

銀行借入金，未払税金は資料の金額をそのまま控除することができます。

葬式費用については，香典返戻費用1,000千円が含まれていますので，それを差し引いた残りの4,000千円を差し引くことができます。

(3)　相続財産に加算すべき贈与財産

相続開始日は6年5月1日です。長男が5年7月15日に被相続人から贈与された上場株式は，相続開始前3年以内の贈与財産に該当しますので，相続財産に持ち戻す必要があります（詳しくは45ページ参照）。なお，持ち戻す際の価額は相続開始時の評価額である12,000千円ではなく，贈与時の評価額である10,000千円になります。

(4)　各人が取得した財産の価格

取得者	財　産　額		評価減，非課税財産，債務等	課税価格
妻	自宅敷地 自宅家屋 定期預金 死亡保険金 死亡退職金 家財一式	100,000千円 31,000千円 60,000千円 30,000千円 35,000千円 1,000千円	小規模宅地の評価減 　　　▲66,000千円 死亡保険金の非課税金額 　　　▲15,000千円 死亡退職金の非課税金額 　　　▲25,000千円 未払税金　▲3,000千円	148,000千円
長男	未利用地 普通預金 上場株式 （生前贈与分）	75,000千円 50,000千円 10,000千円	銀行借入金　▲17,000千円 葬式費用　　▲4,000千円	114,000千円
孫A	定期預金 公社債	30,000千円 12,500千円		42,500千円
孫B	定期預金 公社債	30,000千円 12,500千円		42,500千円
長女	上場株式 死亡保険金	51,000千円 20,000千円	死亡保険金の非課税金額 　　　▲10,000千円	61,000千円
			課税価格の合計額	408,000千円

3．基礎控除額の計算

　　法定相続人は5人ですから基礎控除額は下記のとおり60,000千円になります。

　　30,000千円＋6,000千円×5人＝60,000千円

4．課税遺産総額の計算

課税価格の合計額		基礎控除額		課税遺産総額
408,000千円	－	60,000千円	＝	348,000千円

5. 相続税の総額の計算

① 課税遺産総額の348,000千円を5人の法定相続人が各々法定相続分どおりに取得したものと仮定して，取得金額を計算します。

② ①で計算した取得金額に，各々税率を乗じ，速算表（50ページ）の控除額を差し引いて税額を計算します。

③ ②で計算した税額を合計し，相続税の総額を計算します。

具体的な計算式は 解答 をご覧ください。本ケースでは，相続税の総額は81,100千円となります。

6. 各人ごとの算出相続税額の計算

相続税の総額を各人の課税価格の割合で按分し，各人の算出相続税額を計算します。

7. 税額控除の計算

① 2割加算

孫Aおよび孫Bは，本来の相続人である二男がすでに亡くなっていることにより，代襲相続人となりますので，2割加算の適用はありません。

② 贈与税額控除

長男が加算対象期間内に贈与された上場株式について，贈与の際に支払った贈与税額1,770千円を，相続税額から控除します。

③ 配偶者の税額軽減

次のように計算します。

$$配偶者の税額軽減額 = 81,100千円 \times \frac{\overset{(相続税の総額)}{204,000千円^{(注)}}}{408,000千円} = 40,550千円$$

（注） ①または②のうち，いずれか大きい金額

① （課税価格の合計額）（配偶者の法定相続分）
　　　408,000千円　　　×　　　$\frac{1}{2}$　　　= 204,000千円

② 160,000千円

ただし，本ケースのように，上記算式で求めた金額（40,550千円）よりも配偶者の算出相続税額（29,418千円）の方が小さい場合には，算出相続税額が上限となりますので，実際に控除できる金額は，29,418千円となります。

④　未成年者控除

孫Bは未成年者であるため，次の算式で計算した金額を相続税額から控除できます。

　　未成年者控除額＝（18歳－16歳）×100千円＝200千円

参考 相続税早見表

①配偶者有 （単位：万円）

課税価格 ＼ 子供の数	1人	2人	3人	4人	5人
10,000	385	315	262	225	188
15,000	920	748	665	588	530
20,000	1,670	1,350	1,217	1,125	1,033
25,000	2,460	1,985	1,780	1,688	1,595
30,000	3,460	2,860	2,540	2,350	2,243
35,000	4,460	3,735	3,290	3,100	2,930
40,000	5,460	4,610	4,155	3,850	3,660
45,000	6,480	5,493	5,030	4,600	4,410
50,000	7,605	6,555	5,962	5,500	5,203
55,000	8,730	7,618	6,900	6,438	6,015
60,000	9,855	8,680	7,838	7,375	6,913
65,000	11,000	9,745	8,775	8,313	7,850
70,000	12,250	10,870	9,885	9,300	8,830
75,000	13,500	11,995	11,010	10,300	9,830
80,000	14,750	13,120	12,135	11,300	10,830
85,000	16,000	14,248	13,260	12,300	11,830
90,000	17,250	15,435	14,385	13,400	12,830
95,000	18,500	16,623	15,100	14,525	13,830
100,000	19,750	17,810	16,635	15,650	14,830
110,000	22,250	20,185	18,885	17,900	16,915
120,000	24,750	22,560	21,135	20,150	19,165
130,000	27,395	25,065	23,500	22,450	21,458
140,000	30,145	27,690	26,000	24,825	23,833
150,000	32,895	30,315	28,500	27,200	26,208
200,000	46,645	43,440	41,182	39,500	38,083
250,000	60,395	56,630	54,307	52,050	50,500
300,000	74,145	70,380	67,433	65,175	63,000

（注1） 課税価格＝相続財産－債務，葬式費用
（注2） 配偶者の税額軽減を法定相続分まで活用するものとします。
（注3） 子供はすべて成人とし，孫の養子縁組はないものとします。

②配偶者無

（単位：万円）

課税価格 ＼ 子供の数	1人	2人	3人	4人	5人
10,000	1,220	770	630	490	400
15,000	2,860	1,840	1,440	1,240	1,100
20,000	4,860	3,340	2,460	2,120	1,850
25,000	6,930	4,920	3,960	3,120	2,800
30,000	9,180	6,920	5,460	4,580	3,800
35,000	11,500	8,920	6,980	6,080	5,200
40,000	14,000	10,920	8,980	7,580	6,700
45,000	16,500	12,960	10,980	9,080	8,200
50,000	19,000	15,210	12,980	11,040	9,700
55,000	21,500	17,460	14,980	13,040	11,200
60,000	24,000	19,710	16,980	15,040	13,100
65,000	26,570	22,000	18,990	17,040	15,100
70,000	29,320	24,500	21,240	19,040	17,100
75,000	32,070	27,000	23,490	21,040	19,100
80,000	34,820	29,500	25,740	23,040	21,100
85,000	37,570	32,000	27,990	25,040	23,100
90,000	40,320	34,500	30,240	27,270	25,100
95,000	43,070	37,000	32,500	29,520	27,100
100,000	45,820	39,500	35,000	31,770	29,100
110,000	51,320	44,500	40,000	36,270	33,300
120,000	56,820	49,500	45,000	40,770	37,800
130,000	62,320	54,790	50,000	45,500	42,300
140,000	67,820	60,290	55,000	50,500	46,800
150,000	73,320	65,790	60,000	55,500	51,300
200,000	100,820	93,290	85,760	80,500	76,000
250,000	128,320	120,790	113,260	105,730	101,000
300,000	155,820	148,290	140,760	133,230	126,000

（例）　課税価格10億円である場合における相続税額（一次相続，二次相続合計税額）
　　　家族構成＝本人，配偶者，子3人
　　（イ）　本人（一次）相続時
　　　　　①配偶者有の表より，課税価格100,000万円，子3人の欄から16,635万円
　　（ロ）　配偶者（二次）相続時（配偶者に固有の財産がない場合）
　　　　　②配偶者無の表より，課税価格50,000万円（100,000万円×1/2）
　　　　　子3人の欄から12,980万円
　　（ハ）　合計16,635万円＋12,980万円＝29,615万円

＜監修者紹介＞

税理士法人　山田＆パートナーズ

〈国内拠点〉

【東 京 本 部】〒100-0005　東京都千代田区丸の内1-8-1　丸の内トラストタワーN館
　　　　　　　　　　　　8階　TEL：03-6212-1660

【札幌事務所】〒060-0001　北海道札幌市中央区北一条西4-2-2　札幌ノースプラザ8階

【盛岡事務所】〒020-0045　岩手県盛岡市盛岡駅西通2-9-1　マリオス19階

【仙台事務所】〒980-0021　宮城県仙台市青葉区中央1-2-3　仙台マークワン11階

【北関東事務所】〒330-0854　埼玉県さいたま市大宮区桜木町1-7-5　ソニックシティ
　　　　　　　　　　　　ビル15階

【横浜事務所】〒220-0004　神奈川県横浜市西区北幸1-4-1　横浜天理ビル4階

【新潟事務所】〒951-8068　新潟県新潟市中央区上大川前通七番町1230-7　ストークビ
　　　　　　　　　　　　ル鏡橋10階

【金沢事務所】〒920-0856　石川県金沢市昭和町16-1　ヴィサージュ9階

【長野事務所】〒380-0823　長野県長野市南千歳1-12-7　新正和ビル3階

【静岡事務所】〒420-0853　静岡県静岡市葵区追手町1-6　日本生命静岡ビル5階

【名古屋事務所】〒450-6641　愛知県名古屋市中村区名駅1-1-3　JRゲートタワー41階

【京都事務所】〒600-8009　京都府京都市下京区四条室町東入函谷鉾町101番地　アーバ
　　　　　　　　　　　　ンネット四条烏丸ビル5階

【大阪事務所】〒541-0044　大阪府大阪市中央区伏見町4-1-1　明治安田生命大阪御堂
　　　　　　　　　　　　筋ビル12階

【神戸事務所】〒650-0001　兵庫県神戸市中央区加納町4-2-1　神戸三宮阪急ビル14階

【広島事務所】〒732-0057　広島県広島市東区二葉の里3-5-7　グラノード広島6階

【高松事務所】〒760-0025　香川県高松市古新町3-1　東明ビル6階

【松山事務所】〒790-0003　愛媛県松山市三番町4-9-6　NBF松山日銀前ビル8階

【福岡事務所】〒812-0011　福岡県福岡市博多区博多駅前1-13-1　九勧承天寺通りビル
　　　　　　　　　　　　5階

【南九州事務所】〒860-0047　熊本県熊本市西区春日3-15-60　JR熊本白川ビル5階

【鹿児島事務所】〒892-0847　鹿児島県鹿児島市西千石町11-21　鹿児島MSビル5階

〈海外拠点〉

【シンガポール】1 Scotts Road #21-09 Shaw Centre Singapore 228208

【中国（上海）】上海市静安区南京西路1515号　静安嘉里中心1座12階1206室

【ベトナム（ハノイ）】26th floor West Tower, Lotte Center Hanoi, 54 Lieu Giai, Cong Vi,
　　　　　　　　　　Ba Dinh, Hanoi, Vietnam

【ベトナム（ホーチミン）】 19th floor, Sun Wah Tower, 115 Nguyen Hue, Ben Nghe, Quan 1, Ho Chi Minh, Vietnam
【アメリカ（ロサンゼルス）】 1411 W. 190th Street, Suite 370, Gardena, CA 90248 USA
【アメリカ（ホノルル）】 1441 Kapiolani Blvd., Suite 910, Honolulu, HI 96814 USA
【台湾（台北）】105001　台湾市松山區復興北路369號6樓之7　※アライアンス事務所

〈沿　革〉

1981年4月　公認会計士・税理士　山田淳一郎事務所設立
1995年6月　公認会計士・税理士　山田淳一郎事務所を名称変更して山田＆パートナーズ会計事務所となる。
2002年4月　山田＆パートナーズ会計事務所を組織変更して税理士法人山田＆パートナーズとなる。
2005年1月　名古屋事務所開設
2007年1月　関西（現大阪）事務所開設
2010年12月　福岡事務所開設
2012年6月　東北（現仙台）事務所開設
2012年11月　札幌事務所開設
2014年1月　京都事務所開設
2014年11月　金沢事務所・静岡事務所・広島事務所開設
2015年11月　神戸事務所開設
2016年7月　横浜事務所開設
2016年10月　北関東事務所開設
2017年7月　盛岡事務所開設
2017年11月　新潟事務所開設
2018年4月　高松事務所開設
2019年7月　松山事務所開設
2020年7月　南九州事務所開設
2022年1月　長野事務所開設
2023年7月　鹿児島事務所開設

〈業務概要〉

　法人対応，資産税対応で幅広いコンサルティングメニューを揃え，大型・複雑案件に多くの実績がある。法人対応では企業経営・財務戦略の提案に限らず，M＆Aや企業組織再編アドバイザリーに強みを発揮する。また，個人の相続や事業承継対応も主軸業務の一つ，相続税申告やその関連業務など一手に請け負う。このほか医療機関向けコンサルティング，国際税務コンサルティング，新公益法人制度サポート業務にも専担部署が対応する。

＜編著者紹介＞

佐伯　草一（さえき　そういち）

税理士法人山田＆パートナーズ　代表社員　税理士
昭和38年大阪府出身
東京都立板橋高等学校卒業
平成元年山田＆パートナーズ会計事務所入所
主な著書：共著で『Q&A企業組織再編の会計と税務〔第8版〕』
　（税務経理協会），『Q&Aで学ぶ連結納税ガイド』（税務研究
　会），『相続税資料収集・申告マニュアル』（財経詳報社），
　『Q&Aで理解するグループ法人税制』（税務研究会）など

＜執筆者一覧＞（順不同）

壽藤里絵（税理士），宇佐美敦子（税理士），渡辺真由美（税理
士），小林大輔（税理士），永井強（税理士），米田豊（弁護
士），川村理重子（税理士），井上弘美（税理士），村井晴奈

図解 相続税法「超」入門

〔令和6年度改正〕

2005年6月20日　初版発行
2024年8月10日　令和6年度改正

監 修 者　税理士法人山田&パートナーズ
編 著 者　佐伯草一
発 行 者　大坪克行
発 行 所　株式会社 税務経理協会
　　　　　〒161-0033東京都新宿区下落合1丁目1番3号
　　　　　http://www.zeikei.co.jp
　　　　　03-6304-0505
印　　刷　株式会社　技秀堂
製　　本　株式会社　技秀堂
デ ザ イ ン　原宗男

本書についての
ご意見・ご感想はコチラ

http://www.zeikei.co.jp/contact/

ISBN 978-4-419-07226-1　C3032